竹本忠雄

未知よりの薔薇

第四巻　筑波篇

勉誠社

未知よりの薔薇　第四巻 筑波篇

目次

第六章

第七章

カバーデザイン――橋場信夫
カバー写真――ダニエル・セール
表紙デザイン――大岡亜紀
画像データ管理――山﨑誠一

第一章　老賢人

湯浅泰雄博士のおつむ

どんなことでも……、恋のような秘め事でも、森さえ動くとシェイクスピアの魔女の予言したような悲劇でも、映画監督のみがよくそれを表現しうるような、物語のラストシーンをあらかじめ暗示するファーストシーンなるものがあるらしい。私にとって、筑波を舞台とする人生の大冒険が始まったのは、あのファーストシーンからだった。

「E・T」を見た、あの瞬間からである。

その顔は、忍び寄る夕暮の中に、いやに黄色っぽく、ぼおっと浮かんでみえた。そこは待ち合わせに指定された筑波大学の中央図書館まえで、円柱の並ぶ階段まえに、その黄色っぽさが既に人間ばなれしてみえた。

あれから三十三年――。歳月が、デルヴォーの幻想絵画から切り取ってきた一片のように、残像をシュール化させてしまった。あの円柱のせいで、なおさらに。私だけではなく、「夢みる」ことを大事とする種族にとっては、そのせいで中央図書館はちょっとした古代神殿風にも見えたらしい。そう感じた一人の女子学生――松村栄子――がそこからインスピレートされて、ギリシア風にその建物を「至聖所（アバトーン）」と名づけた小説を書き、やがて卒業早々に芥川文学賞を取る運命が始まろうとしている頃だった。

ともあれ、円柱と真向かった文化系の建物から出てきた私の眼に、やや大げさに云うならば、福禄寿なみに大きなおつむをゆらゆらさせるヒューマノイドというふうに、その人像は見えたのである。

鞄を手に、人像は立っていた。私と連れ立った女性が、「湯浅せんせーい」と艶っぽい声で呼ぶと、ふらふらと揺れながらそれは近寄ってきた。

それが、哲学者、湯浅泰雄博士の初印象だった。

後年、博士に心酔して師弟の礼をとった作家の遠藤周作が、「E・T」と渾名したとき、さすがに巧いことを云うと感心させられたものである。ただ、このE・Tは、半ば月影に浸るごときメランコリックな雰囲気をただよわせていた。

あのことを実現したい一念——というより殆ど妄念——で大学人となった凡愚が、この人なくんば事成り立たずと思い定めて白羽の矢を立てた賢人が、この人だった。勝手にそう思いこまれたのでは、さぞ相手は迷惑であったろう。「竹本君に取っつかまって……」とか、「惚れられた弱みで……」と、のちのちまで繰り言を云われる仕儀となる。

いまから考えれば、何もかもがこの出遭いをもたらすようにお膳立てされていたかのようにみえる。といっても、和辻哲郎直系の哲学・倫理学の大家としての湯浅泰雄の業績については、こっちは甚だ不勉強だったが。その前年（一九八〇年）に出版された

『日本古代の精神世界』を読んだ程度のもの。ほかに、唯一、知って敬仰していたのは、ユング心理学者としての著作である。わけても、ユングの紹介によって世界的となった中国道教の秘伝書、『黄金の華の秘密』（太乙金華宗旨）の湯浅解説文を読んで、すっかり参ってしまっていた。この種の本は、学識だけで書けるものではない。内側からどこまで観想を深めた人か、おのずと滲みでるもので、読者はそれを読むのだ。内的経験は、直接学問には表れない。「私は……」と書く論文はない。「われわれは……」である。でなければ科学にならない。湯浅ユング学を知って、いかなる内的経験を、この方は積んできたのであろうかと心をそそられた。

湯浅泰雄も私も筑波大学に奉職したのがほとんど同時だった。湯浅は一九八一年五月、私は六月で、たったの一ヶ月しか違わない。それまでどう考えても出逢うことのない人生を互いに歩んできたことを思えば、奇遇もいいところだ。こっちは、元「パリ一匹狼」……といえば勇ましいが、「教歴」ゼロ、下手をすると「凶歴」まがいに一部から警戒されてきた渡り者である。反対に湯浅泰雄は、東大の文学部助手を振り出しに、山梨大学、大阪大学と教授職を歴任し、インドネシア大学客員教授を兼任中に三顧の礼をもって筑波大学の哲学・思想学系教授に迎えられたアカデミズムの重鎮である。本来ならば、とうてい自分ごときが天下の学堂で同座させてもらえるような方ではない。

しかし、何かが二人を引き合わせた。その何かは、いましがた、中央図書館まえで私を博士に引き合わせてくれた女性の因縁とも絡まるものであることが、すぐ判明した。

野々山ミチ子（のち、真輝帆）女史は、私が学籍を置いた筑波大の現代語・現代文化学系に当時、助教授として在職中であった。（現在、名誉教授）。その前年に『スペイン内戦』で毎日出版文化賞を受け、つとにスペイン政府から叙勲されたほどの才媛として輝いていた。たえず微笑を絶やさない、色白の、はんなりした容姿からは、余裕のあるヨーロッパの匂いが香水のように漂ってくる。が、なぜか、いつもサングラスをかけ、若くはないが独身女性特有の一種のミステリアスな雰囲気を漂わせていた。お堅い教師仲間には、ひそかに胸を焦がす連中もいて、「せっかくの綺麗な瞳」――といって誰も覗いた者はないのだが――があれでは見えないとぼやく者もあれば、ひそかに結婚を前提にお付き合い願いたいと恋文を出したらしき有名教授もあった。そんな、およそ当方の秘めたる念願とは縁もゆかりもないような一女性が、たまたま私の入った学系に籍を置いていて、事務室での茶飲み話のきっかけに、ぽろりとこちらが湯浅博士の名を出すと、ああその先生とならば格別のご縁があります、ご紹介いたしますわと申し出てくれたのだった。

どんな「ご縁」かは皆目わからない。そのことは、すぐこのあとに興味ふかく聞かされることとなるのだが、それよりも、格別のご縁と云いながら、野々山助教授自身が学内で湯浅博士を初めて訪ねたのが、ほんの二ヶ月まえにすぎないと聞いて、この暗合をまず奇妙に感じた。というのも、その日、中央図書館まえでの初邂逅が起こったのは、一九八二年四月二十一日のことで、それは湯浅泰雄と私が偶然にほぼ同時奉職してから十ヶ月もあとのことだったからである。その間、野々山さんは、もっと早く博士に会いに行ってもよかっただろうに、そうしなかった。まるで博士と私の出遭いを待って動いたかのように感じられたのだった。

ともあれ、かくして、中央図書館まえの邂逅とはなった。

紹介が済むと、三人はうちつれて国際会議場の方角へと向かった。そこは、細長いキャンパスを貫く一本道で、昼間は学生たちの行き来で賑わっている。そのずっと先のほうの右手に立つ国際会議場で二年半後に宿願の《科学・技術と精神世界》シンポジウムが実現されることとなり、そこへ到達するまで、筆舌につくしがたい辛苦を湯浅と私が共に味わう運命になろうとは、想像もできないことであった。新学期早々の春の宵で、学生の影もまばらな道をたどりながら私は切り出した。

「あの世に橋をかけるような国際会議をやりたいと思っておりまして……」

こういう語法が通じる人、との確信があった。

はたせるかな、ふむ、といったように、並んで歩く博士の眼鏡が横目に光った。

もっとも、そんな伝法な云いかたをしながらも、そのときにはまだ私は、この人の中に、自分ごときの及びもつかない、身命を賭しても彼岸探究をという父君ゆずりの烈々たる求道精神が燃えているということを知らなかった。知らないままに、実はこれこれしかじかでと、発願の由来を語った。

ふむ、ふむと、大きなおつむは頷くばかりで、ただ聴いている。そこで、駄目押しの一言を加えた。

「大学当局も関知して、応援してくれています」

これが効いたらしい。

手応えを感じて、「あの本部棟で」と、半身を左にねじって付け加えた。「デスクを貰って、すでに準備に取りかかっています」

三人は歩みを止め、かなたのひょろ高い建物を視つめた。

そこに、学長室の下に企画室があり、その一角に私が陣取っていたことは事実である。「新構想大学」なればこその、夢を容れてくれる空間があったことは、素晴らしい。誰の推薦によるものだったか、筑波入り早々、変わったことを口走るやつがいるということで、そこに送りこまれていた。奇なる挑戦ではいずれ劣らぬ理系教授が三、四人、周りにデスクを据えていた。「文系」は私が初めてだったらしい。新入りは彼らに何事かわめき立て、これはおおむね前向きに受け取られた。だが、国際会議となれば、夢のまた夢にすぎない。「準備に取りかかり」はしたものの、とたんに難関にぶつかって足掻いていた。

「えらいことをお考えですな……」

こちらの語りおえるのを待って、ぽつんと哲学者は応じた。脈はありそうだ。はたせるかな、「なかなか面白そうです」と続く。「もうちょっとお話を伺いましょうか」

そこから、どんな狂風に翻弄されるか、予想だにつかない航海に向かって共に小舟の帆を上げようとした瞬間だった。パリで拙宅の近くにあったギュスターヴ・モロー美術館で繰りかえし見た、あの超大作『ユピテルとセメレー』を思いださずにいられない。一緒にこれを見た画家の前田常作が、思わず、「画家冥利に尽きますね」と洩らした一言も思い返されてくる。女神イシスのヴェールを持ち上げて顔を覗き見ようとして逆鱗に触れ、神殿の石段を鮮血に染めて倒れ臥したギリシア神話中の女性は、けっして単なるアレゴリーでないような、禁断の園にわれわれは足を踏み入れようとしていたのだった。

しかし、公平に見て、苦難は、私より湯浅泰雄にとって、ずっと大きかったのではなかろうか。宗教的神秘世界に大きく踏みこんだ父君が、ために獄中にさえつながれた運命を、カルマとして自身の血肉中に刻みつけておられたからである。

とすれば、三歳童児のごとく無知に、それゆえ罪ふかく私は、断崖の上へと、無垢なる人を誘おうとしていたのだろうか。

「兄が生きていたら喜びますわ」

男二人のしゃちほこばった雰囲気をほぐすように、潤いのある声が脇でささやいた。

「そして母も……」

おほん、と、老賢人が変な咳をした。

そのとき、ぱっと街灯が点き、目の前に仄明い光の波紋が広がった。「松見池」の前に私たちは立っていたのだった。

半靴の夢

それから三人は、キャンパスの先を出外れたところに立つ小さなホテルへと向かった。閑散としたレストランに腰を落ち着けると、こぼれるような笑みを浮かべて野々山ミチ子は云った。

「湯浅先生はよくお出でになりましたわね、私の母のところへ……」

ちょっとからかうような口ぶりだった。が、サングラスの奥の目元まで笑っているかどうかは分からない。

「む、それは……」

哲学者は、口唇に煙草を近づけて、噎せた。

「だって……それは……みんな、君んところのサロンに出入りしていたじゃないかね」

そして私のほうを向いて、「いやあね」と取りつくろう。

「ミチ子さんの兄さんと僕は旧制高校が同級でしてね。彼女のお母さんはなかなかの才媛で、日本には珍しいフランス風の文芸サロンを開いていたんですよ。戦争中なのに御馳走は出るし、殺風景な生活の中に花が咲いたようで、みんな、しょっちゅう集まっていたものです」

「あら、それだけ？　みなさん、母を取り巻いて……。先生も、ずいぶんご熱心に。わたしなんか、ほんの娘っこだったけど、誰も相手にもしてくれなかった……」

博士は苦笑して、ふうと煙を吐いて真向かいの私に
「飛びきりの美人だったんですよ、野々山さんのご母堂は」

と云い、こんどは脇の彼女に、ぽんと、こう云い放った。

「そりゃあ、君なんか、足下にも及ばないよ」

怒ったような口調に、こっちはびっくりさせられた。哲学者がロマンスを——かりにそうだったとして——語ってはならないという法はあるまいが……

「でも、浩志君の戦死で、すべて幕は下りてしまった……」

「兄は、輸送船で南方に運ばれていく途中、伊豆の石廊崎沖でアメリカの潜水艦の攻撃を受けて亡くなったんですの」

なにやらこちらのあずかり知らざる背景が、今宵の出遭いを用意してくれたらしい。毒気を抜かれて私は、ウイスキーをそそいだグラスの氷をかたかたと右手に揺らしながら、黙って博士の顔を眺めた。男らしい眉の張った、立派な風貌だ。上背もあり、骨格がしっかりしているので、近くで見れば、特におつむが際立つというほどのアンバランスはない。ここらで本題に入らねばと、口を開いた。

いかにしてフランスがコルドバで物心両界の統合をはかる大会議を打ち上げ、いかに自分はそれに感じて、その続篇をやりたい一心で筑波大学入りするに至ったかと、まず語った。コルドバでは、ユングの「元型」理論が一つの中心的突破口の役を果たしたこと、会議主催者であるフランス文化放送の上層部は自分の年来の友であり、次は東西対話の視点から日本のしかるべき大学、すなわち我らの筑波大学と共催で会議開催することについて意欲満々である、などと。

「コルドバ」と聞いて、野々山助教授が「嬉しいわ」と声を弾ませた。「あそこは、ヨーロッパとイスラムの一番の深層での接点でしたものね」と、さすがに詳しい。

「えゝ、中世にヨーロッパが合理精神を選んで神秘主義を駆逐したことから、その接点が失われ、そこから謂わば世界の魂が二分されたままできたことが二十世紀の人類危機に到ったと、このような文明批評の観点から彼らはこの冒険的企画に乗り出したのです」

感動したようにちょっと喉をつまらせて、博士はこう応じた。

「僕は、旧制の大学院でヘーゲルやハイデガーを学んだあとで、東大の経済学部に再入学したのですが……」

驚いて私は叫んだ。

「どうしてまた、経済学を……」

「世界のことは、経済が分からなければ分からないと思ったからですよ」

「倫理、哲学を修められたあと、さらに経済学を！」

こういう人を本当の学者というんだろうなと、粛然たる思いだった。せっかく留学して入ったフランスの最高学府を自分で飛び出して、現地で一本立ち批評家となったままではともかく、無謀にも帰国して失墜と流浪を何年も続ける破目になった我が身が縮こまる思いだ。

「それで、経済学から世界をご覧になって、いかがでした」

「そのコルドバ会議が行われたのは、いつですって」

「一九七九年です」

「すると、三年前ですな。その年、東京で第五回のサミット会議が行われましたね。そこで発せられた東京宣言というのを見ると、それは結局、OPEC諸国から発動された石油戦略に対して、日本とドイツが欧米諸国に加わって取った対抗手段だったんですね。その顔ぶれを見て、僕は、何だ、これは、十九世紀の帝国主義列強と同じじゃないかと思いましたよ。いっぽう、同じ一九七九年に、米ソがアフガニスタンで支配を争っていました……」

剣道五段の美剣士、アフガニスタン人、バマット氏の風貌が目に浮かんだ。日本に帰国して失墜した私を励まそうと彼は、アルゼンチンに招いてくれた。その道中、パリで、フランス文化放送のイヴ・ジェギュ軍団とともにシャンゼリゼーの日本料亭で宴席を張ってもくれた。席上、彼らは、西洋がイスラム世界と深いところで和解しなければ大変なことになると口々に訴えた。実際にそこから、二年後には、西洋とイスラムの岐れの象徴的意味を持つスペインのコルドバで歴史的シンポジウムの開催に至ったのだった。いま、湯浅博士の口から「アフガニスタン」の名が洩れるのを聞いて、あの一夜の熱い友情の雰囲気がいっぺんに戻ってきた。日本でも、見る人は見ているのだなと思った。見えない世界に橋をかける行為は、いささかも幻想にあらず、歴史世界との接線において行われるとの、平生の自分の視点が確認される思いだった。

「ここから、僕は、こう思うのですよ」

と、湯浅泰雄は続けた。

「一、見――」と力をこめて、「資本主義ビジネスは、公正な自由経済の原則にもとづいて行われていますから、何ら倫理的正義に反することはない。しかし、大半がアラブの産油国を中心とする中東世界には、怨念が積もっています。これに対して、我ら西側世界には民主主義の正義ありというだけで事は済むのか、どうか――ここのところが本当は問題なのです。歴史心理学から見ますと……」

「歴史心理学」とは、聞いたことのない言葉だった。

「……民主主義というも帝国主義というも、結局、実は同じものですよ」

一般に現実を語ることの稀な哲学者が、ここまで云い切るのかと、虚を突かれた思いだった。西洋キリスト教文明の崩壊を幻視したことと、「元型」理論を発見したことと、それが同じ意味をもつということを体験したユングを、突きつめて知る人なればこそ、このように見ることが可能なのであろうか。舌を巻いてこう思っていると、質問が飛んできた。

「やはり、その発端は、フランス革命だったんでしょうね。フランス人自身はどう思っているんですか」

「エリートの間では、彼らが共和国精神と呼ぶものを誇りにすると同時に、切り捨てた非合理世界への対応が必要だと見ています。日本の禅の流行は、この対応を武装強化してくれました。しかし、場所がら、コルドバでフランス文化放送が主催した《科学と意識》シンポジウムでは、禅以上に、イスラム神秘主義の世界観を強調して、合理主義の牙城攻撃に役立てていました。深層心理学と宇宙創生論をむすびつける方向です。いずれにせよ、物質と精神を分けない領域はあるか、それはあると云い切るために、諸学を挙げて取り組んだというのが、コルドバ会議でした。究極には、あの世とこの世を一続きと見るところに視線は投げられている観を受けます」

これは私観をまじえた云いすぎだった。が、ふうむ、と、煙とともに湯浅博士は溜息を洩らした。どうやら、琴線に触れたらしい。

「そういうことなら、僕は大いに興味がありますね。とすると、超心理学（パラサイコロジー）の領域にも触れることとなる……」

「そのとおりです。コルドバでも超心理学的な面は少からず触れられていました。量子力学における意識の役割を問うという形で——。しかしこれはデカルト精神を逆なでするわけですから、スキャンダル化されました。まともな参加者の間にも、ユリ・ゲラーと聖ヨハネを一緒くたにするなというふうな声さえ挙がって……」

ユリ・ゲラーと聞いて、湯浅博士はにやりと笑った。そのときには私は、博士自身が「スプーン曲げ」の実践者であることを知らなかった。その一本が空中で幾重にもねじれたのを研究室で保管していたらしい。しかし日本は、何でもメディアが「エンターテインメント」に変えてしまう国である。その分だけ、科学者はそっぽを向く。超心理学は、フランスに劣らず日本でも危険水域であることに変わりはなかった。

「しかし、私自身は」と、博士の微笑に力を得て、力をこめた。「スプーン曲げを莫迦にする気はありません。幽霊だって、同様です。ただ、もう、ああいうものはあるかないかの段階ではないと思うんですね。みんな、現象にとらわれて、本当か嘘か、信ずるか信じないかの堂々めぐりを永遠に続けています。すべて、テレビのお笑い番組となって終わりです。そんなのは、まっぴらです。これは問題の立てかたが根本的に間違っているので、そうではなくて、超自然現象の起こる領域はあるのか、ないのか——こう問うべきだと思うんですが」

「それと、その領域を何と呼ぶべきかですね……」

「霊性」という言葉は、まだ広がっていなかった。「精神世界」が、大まかに、その所在を感知しているのみだった。「超心理学」は、われわれ未知世界の探索者の目に、かろうじて別世界に橋をかける「科学的」一本道であるかのように映っていた。

あのときの湯浅泰雄の温容が思いだされる。

博士の訃報を聞いたのは、パリでだった。奥さんと弟子の定方昭夫教授（『黄金の華の秘密』の共訳者）が電話で知らせてくれた。二〇〇五年十一月九日のことだった。筑波での初会から算えて二十三年後、そしてその時から今日まで、もう十年が過ぎた。

あの夕べ、会話はたかだか二時間ほどだった。だがそれで、互いをある種族として認めるのに十分だった。専門の違いは関係ない。ただ、同じ水辺に立つか、どうかが問題だった。古来、未知世界へと飛翔しつづけている水鳥の群れがあり、その翼を休める小さな砂州で出遭うようなものだった……

ただし、たがいに、相手がどのような内的陰影の中にあるかは、知るよしもなく。

「いちばん精神分析をしなければならないのは精神分析医自身なんですよ」と後に湯浅

博士から聞かされた謎めいた一句が思いかえされる。

書くということの功徳のおかげで、三十年余の霧を払って漸くその人の内風景がうっすらと見えはじめたところである。全十八巻もの『湯浅泰雄全集』の出たほどの大学者にして、なお世に全く知られざる膨大な日記の宝庫が残されてあり、本手記の「筑波篇」を書くにあたって、未亡人の許可を得てその一端をかいまみせていただいたおかげだ。自己抑制的な博士の性格から、それが情念の乱れとなって表れることは稀でも、それでも、自身「カルマ」と呼ぶものとの苦闘の跡は随所にそこに読みとれる。多国語能力を駆使し、古今東西にわたる驚異的博識の上に成り立つ浩瀚な著書は、截然と自我の塵埃を払ってみだりにもそれを窺わせないが、反面、日記には、これでいいのかと絶えず煩悶する様子が生々しく記され、かえってそこに人間味を感じて私は畏敬の念を新たにした。

学問と、自らの運命との乖離に、哲人は苦しんでいた。「橋をかける」国際会議の企画に諸手を挙げて賛同したものの、その実現過程の困難に、死線すれすれにまでむしろこの乖離が広がっていった形跡をみて、私は自分の罪深さのようなものを感ぜずにいられなかった。

ともあれ、「湯浅日記」なくんば私はこの「筑波篇」を正確には書けなかったであろう。こちらがメモしておかなかった共通の出来事について、細目洩らさずそこには書き留められていた。几帳面な博士の性格ゆえ、きっと日記らしきものを残していたであろうと推測はしていたが、本手記の「筑波篇」に取りかかるまえに湯浅夫人に尋ねると、さるところにお預けしてありますという。さるところとは、博士から学位論文の指導を受けた東洋思想史家、丸山敏秋氏が現に理事長をつとめる一般社団法人倫理研究所とのことで、照会すると、たしかにそこの特別室に全巻秘蔵されているのが発見された。

この「筑波篇」の後半から登場する丸山敏秋は、湯浅教授と師弟の間柄という以上に、それぞれ父祖の代からの奇しき因縁の間柄にあった。さらに、湯浅教授の推輓によって、まさに学位修得と同時に私の右腕として《コルドバ2》の実現に大活躍してくれたことを思えば、日記発見はいよいよ容易ならぬ因縁と思われてくる。

一九六九年から二〇〇五年に至る大記録は、これまでまったく世に知られず、それを目にしたのは私が最初ということだった。それだけでも感動させられるに十分だったが、その先があった。倫理研究所の一室に篭もって、二人の出会いからシンポジウム開催までの日々を克明に記した数冊を読ませていただいたところ、その中で点々と付箋が貼られているのに気づいた。それらは古びて、あるものは千切れかかっていたが、そこには統一のテーマが感じられた。「竹本」が問題となっていたのだ。

これはまったくの勝手な憶測だが、会議終了後のある時期、湯浅博士は、おそらく問題を回顧する必要が生じたのであろう。その折、パリ帰りのあの風来坊は何者だったのかと改めて疑問に思ったのではあるまいか。なにしろ、人に私を紹介するときなど、思わず、「あの悪名高い竹本君」などとぽろりと本音の出てしまうような、飾り気のない人柄だった。帰国後の失墜が大きく祟って、たしかに私は評判が悪かった。しかも、シンポジウムから生まれた学会――「人体科学会」――づくりに湯浅が晩年の心血をそそいだころには、私自身は、ふたたび元の渡り鳥にかえって流浪の旅に出てしまうこととなる。あれはいったい何者だったのかと追想されたのかもしれない。

最近のこと、ある夢を見た。小雨降るなか、私が傘をさし、右に湯浅泰雄、左に丸山敏秋――半ばそのようで半ば未知の神々しい若者にみえた――の両氏に挟まれて歩いていたが、途中、湯浅ひとりが抜け出して先立っていく。あ、先生、濡れますよと私は云ったが、博士は微笑しながらどんどん遠ざかる。見ると、遠方に、白い円い墳丘のようなものがあって、そのあたりで姿が消えた。近づくとそこは真っ白い人体の重なりだった。私も中へ入ろうとしたが、裸にならなければ入れないといわれる。裸になるのは嫌だと思って、縁に腰をかけ、まず左の靴を脱ぎはじめたところで目が覚めた。

そのあとである――丸山理事長が、電話で、くだんの日記が見つかりましたと知らせてよこしたのは。

まだ今年の春先のことだ。

槿花一朝の夢になぞらえて、私はそれを「半靴の夢」と呼ぶことにした。もう片方の靴を脱ぐまでの時間、いましばし、生きている。


「湯浅日記」には、私との初会について、たった一言、こう記されている。

「竹本忠雄氏が訪ねてきた。情熱的な人物」

それには違いない。成功も失敗も、わが人生はすべて情熱からだった。

企画室の異能者たち

湯浅泰雄と出会うまでは、私にとって、時間は前向きには流れなかった。出会ってからも二年間近くは、淀み、停滞し、逆流し、二人はそれに翻弄されるがままとなった。

私は、夢を筑波で咲かせようとしたが、いかにそれが無謀であるかを程なく思い知らされようとしていた。

それでも、事に臨んで、礼より始めるべしと、殊勝げにまず学長を訪問することとした。物理学者の福田信之学長は闊達な人で、計画を聞くなり、「アンチ・オーソドクサーの立場だね」と云った。が、批判の口ぶりではなかった。

それに、ここでも不思議な縁が味方してくれていた。学長室に「初代理事長柴田周吉氏」の頭像が飾られているのを見て、その前で立ち止まると、知っているのかねと聞かれた。むかし、柴田さんの次男にフランス語を教えておりましてと答えた。その紹介で私は二十歳代に日仏会館に就職し、そこでマルローと出遭い、さらに留学に巣立つという人生をたどりました、と。

柴田周吉氏は、東京文理科大学（のち、東京教育大学）の出身で、私の先輩に当たる。しかし、教育者の巣箱のような同学出身者としては珍しく財界入りし、しかも三菱化成社長となった。学園紛争で荒廃した母校を廃校とし、筑波に「新構想大学」を建てた偉人である。ここから財界の支援を得て設立構想を具現化し、初代学長となったのが、福田信之氏だった。

「本学設立にあたっての学長の武勇伝はいろいろお聞きしております」

というと、

「僕だって、君のことは、ようく知っているんだよ」
とにやりとする。渡り鳥の何が耳に入っていることか。まあ、面白がっている様子をみると、悪い辻占ではあるまい。いっぽう、学長の「武勇伝」とは、国会での一幕をさして云ったつもりだった。筑波大学設置法案を通すにあたり、福田信之は、田中角栄首相を前に議場で一席ぶった。筑波大学の骨格を特徴づける「学類」と「学系」の違いについてこう陳べたと伝説化されていた。

「学類とは、いわば、学生をお客さんとするお座敷でありまして、学系は、教師がそうであるところの芸者の屯（たむろ）する置屋でございます。教員たちは、この置屋からお座敷に出向いて一踊りする、というわけでして……」

満場爆笑につつまれ、法案はパスした。

こういうことは、大器量人でなくしてなかなか出来るわざではない。福田学長は、色白の、ぼってりした福相の人で、「大学ばなれした」という噂だった。清濁あわせ呑むの意味らしい。そういえば、当時、ある夜、神楽坂でぱったり出喰わしたことがあった。「め乃惣」という小料理屋で、そこの会長をしている私の叔父に連れられて行ったところ、カウンターで、脇に芸者を侍らせての伊達男ぶりだった。

なにしろ、そんな通人である。話は手っ取り早い。こっちの口上を聞くや、ただちに企画室に入って準備するよう取りはからってくれた。
こうして、骰子は投げられた……とまでは行かない、股旅者が鉄火場に一足踏み入れた幕開けだった。

その企画室は、学長室の下にあった。

切れ者が数名、出入りしていた。私は、精神病理学者の小田晋教授の隣にデスクをあたえられた。前の席が遺伝子工学者の村上和雄教授。その脇を、一風変わった活動家の大橋力講師が占めていた。三人とも理系だが、その枠をはみでて、精神世界への柔軟な理解者であると見た。実社会での影響力も大きい。《コルドバ2》の企画を聞くや、いずれも即座に賛同してくれた。村上、小田の二教授は、三年後、パネリストとして会議に参画するに至る。

中でも、村上和雄は、このシンポジウムを契機に異次元的飛躍を見せ、のちに「サムシング・グレート」教の教祖ともいうべき存在にのしあがっていく。天理教の開祖の生誕地である「おじば」出身という稀有な来歴を持つ。天理教のソサエティにとっては希望の星であり、全教団を挙げて応援している観があった。

小田晋教授は、巷間、「精神病理学界の三奇人の一人」と呼ばれる異色的パーソナリティだった。だがそれは彼の天才的頭脳に対する尊称のごときもので、知ってみれば至って心根の優しい、かつ果敢な精神の持主だった。筑波入りの以前に私はどこかで「さよなら、マルクスくん」という彼の文章を読んだことがあった。リベラル一辺倒の戦後日本の知識階層の中で、聡明かつ果敢な戦士という感じで、私はひそかに敬意を抱いていた。しかし、何より、小田晋は、権威であった。あるときわれわれは、企画室長──医学系の柔和な老教授──からこう聞かされたものである。

「小田先生の研究室に行ったら、手錠をはめられた重罪犯人がぞろぞろ連れられてくるので驚きましたよ。なにしろ、小田先生が精神障害者と鑑定すれば無罪となるんですから」

医者で文学者というのは世の中で珍しくないが、小田晋も、文学・演劇の造詣たるや大したもので、私などもしばしばたじたじだった。頭の回転の速さは、独自の切りつめた表現法と不可分だった。誰が読めるのかと首をひねりたくなる、針の先で突ついたような細字と云い、頭のてっぺんから出るきいきい声の早口と云い、この人の前に出ると、毎回、いかに自分が時間を浪費しているかと反省させられるばかりだった。

三人目の大橋力講師は、これまた、異才だった。幅広い情報工学の専門家で、かつ、芸能プロデューサーとしての別の顔を持っていた。何も知らない私は、大学構内で「山城組」と染め抜いた袢纏を着こんだ学生が飛び回っているのを見て、何だろうといぶかしく思っていたが、それは彼の取り仕切る芸能山城組の組員たちだったのだ。諸大学を横断する、このやや正体不明の組織の、総組頭と呼ばれて彼は隠然たる勢力を振るっていた。科学と美学をむすびつける、大橋イズムとでもいった独自のスタイルをもって――。色気のないキャンパスに、いつも二人の美人女子学生を乗せた派手な車で颯爽と出入りするという風で、企画室長の江口教授は、白髪のもとに柔和な微笑を浮かべて、羨ましいなあと本音を洩らすのだった。

大橋力には、「師匠」と彼の呼ぶ西武の堤清二社長が後ろ楯についていた。尖端科学研究と前衛舞台創作にと、恐いもの知らずの大車輪の活動を展開していたが、《コルドバ2》計画を聞くや俊敏な反応を示した。すぐさま、自ら主幹をつとめる季刊誌『地球』に「科学と精神世界――コルドバからツクバへ」と題する特輯を組んでくれた。その号には、河合隼雄、中村圭子、村上陽一郎といった当代一流の科学者がずらりと名をそろえて寄稿している。これは、我が夢の最初の公的な旗揚げとなった。

こうしたことは、湯浅泰雄と私の邂逅の起こる一年ほどまえのことである。湯浅との邂逅が起こらなければ《コルドバ2》は大橋力を中心にまったく別の体裁をとることになっていたであろう。参加メンバーも大幅に変わって。どちらかと云えば、より「合理的」路線をとって。結局は、物事は、どちらの夢のほうがより強いかの性質によって決定されていく。非合理世界とどう直面するか――その対応の仕方で、湯浅―竹本ラインが右端に位置するとすれば、大橋陣営は左端にあったといえよう。当初、そこには対立はなく、全体として「つくば丸」は「両舷前進」の均衡を保っていた。舵が向う側の手に握られて、船体が斜めに突っ走っていったときから葛藤が生じ、三たび沈没の危機に瀕するに至る。

その予兆は、すでにあった。しかし、当初は暗雲は外から垂れこめてきた。村上、小田、大橋といった有力な理解者を得て好調にみえたスタートだったが、大学行政を牛耳る参与会が異議を唱えたのだ。どういう理由かは定かでないが、あるいは企画を投機的すぎるとみたのであろうか。「アンチ・オーソドクサー」どもの危険な寄り合いと見たのかもしれない。のちに、実際に準備が軌道に乗ってからさえ、オールマイティを持った参与会から二度にわたって実力行使的ぶちこわしをされる破目となる。

企画室長の江口教授は、温厚で、好意的だったが、私は呼び出され、引導を渡された。夢は最初の蕾のうちに摘みとられた。

「カラテ極道」の死神

その後、大願成就に至るまで続く三年間の挫折と苦悩の始まりだった。

それは、時に応じて人であったり物であったり、つまりその両方の絡み合った障害の数々――我欲、誤解、嫉妬、等々であったが、時を経るに従って、真の障害の正体は、もしかして、われわれが越えねばならないと思っている内世界の壁そのものかと気づくようになった。物心両界の分裂を統合する科学はありうるだろうかとの問いから、欧米間に新しい知の波が生じた。その文明的うねりに乗って自分も小舟を漕ぎ出したが、とたんに迫りあがる逆波に行く手を阻まれた。この場合、私が置かれた奇妙な状態は、このようだった。公の世界で「壁」を乗りこえようとしたところ、それは同時に自分自身の内空間での見えない壁との衝突が激化したということである。知らぬまに異次元との接触が深まり、陰極と陽極の間に電流がショートするように超常現象が増加していったのだった。

現実に、まず、音として、そのような「ショート」を聞く体験を持った。それは、参与会の反対によって企画室長から因果を含められ、最初に計画が挫折したときのことだった。意気消沈して私は家に帰ってきた。筑波入りした年の夏のことで、そのときはまだ渋谷の桜ヶ丘のアパートがねぐらだった。失望に駆られて、そんなとき、心置きなく語れるある人物に電話をかけた。これこれしかじかで、計画はつぶされてしまいました。そう云うと、こういう返事が返ってきた。

「だいじょうぶ、弘法大師さまがお守りくださいますよ」

そんなことがあるのかなあと思いながら、受話器を置き、ちょっと離れた仕事机に戻ろうとした。すると、後頭部が、ぱちぱちと音を立てて鳴り出したのである。奇妙に思って首を振ったが、それでも鳴っている。仕事机の前に坐ったが、音は止まらない。それはちょうど、子どものころ遊んだ線香花火が立てるぱちぱちといった感じで、ひょっとすると誰かが路上で花火を上げているのかと莫迦げたことを考えた。部屋はアパートの三階に位置している。立って窓を開け、路上を見下ろした。しかし、真夏の真っ昼間、かんかん照りの戸外で花火で遊ぶような酔狂な子どもはいない。いたとしても、線香花火のぱちぱちがここまで届くはずもない。路上は、深閑として、猫の子いっぴき通らない。なおのこと私は呆然として、なおも後頭部で鳴りつづける音を耳に、立ちつくしていた……

そのときの電話の相手は、ひそかに私が「飛騨の今仙人」と呼ぶ山本健造翁だった。

熱心な弘法大師信仰者で、その日はちょうど大師入寂の「二十一日」——何の月かは忘却したが——に当たっていた。

山本翁については、既に触れただろうか。当時、私は、この独創的人物との交流を始めたころだった。翁は、念写実験で名高い福来友吉の研究家、かつ、自身、霊能者であった。高野山大学に弘法大師研究の論文を提出しようとして容れられず、その理由が大師の「超能力」に触れたことから忌避されたと知って悲憤抑えがたく、自宅に戻るや、庭の椹（さわら）の木の枝を一本、鉈で切って、「わしは山本健造じゃあ」と叫んで我が道を行く決意を固めたというエピソードは、大いに私の気に入っていた。

この人を私は高山に訪ねて、その熱血ぶりに打たれていた。極貧から身を起こし、福来博士を「学聖」と慕って、まず、高山城趾に簡素ながら自力で福来記念館を建てた。のち、郷里の国府町に堂々たる飛騨福来心理学研究所を設立するに至る。独学から打ち立てた独自の統合理論——「六次元弁証法」なるもの——には随いていけないものを感じたが、翁の心霊修行のほうは半端ではなかった。そもそも孝心あつく、父の腰痛を治したい一心から自ら精神集中の治療法を編み出し、多くの人助けをしたのは、それだけでも立派なものである。この人物から私は飛騨と仙道の関係について様々の興味深いエピソードを聞いた。

飛驒の国にはいつも仙人がいたということである。徳川時代に乗鞍岳を開いた板屋仙人、南の御嶽山の覚明仙人をはじめ、真言密教、両部神道を修めた人々があり、ほかにも、生き霊の憑依を信ずる祈禱師がいた。その娘たちは「護法種（ごほうだね）」と呼ばれ、嫁にも行けなかった。山本翁も、山中である仙人の指導を受けた折に、濃霧で下山できなくなったときに、仙人が十字を切ると、たちまち下山道の上だけ晴れわたり、そこを一散に駆け下りて難を逃れたという。祈っていると種々の物理現象が生ずる。また、そういうことができないようでは先達とはなれない。このように不思議なことをいろいろと語ってくれたあとで、福来博士も自分自身も飛驒の生まれですと云った言葉が、心に染みた。

そういえば、鈴木大拙博士も、「大地の霊」と云っておられたなと思い出した。霊性とはけっして抽象的なものではない、と。ここがおそらく大事な一点であろう。「飛驒」は、むかし、「日抱」と書いた。山本翁の案内で私は日抱神社の元宮にお詣りし、有史前博物館も訪ねた。ナウマン象の発見から、本年、二〇一五年のノーベル物理学賞受賞者、梶田隆章博士のスーパーカミオカンデに至るまで、すべて飛驒の内である。ということは、宇宙起源の謎が、奥飛驒慕情の中に隠されている。その後、ご縁が深まって何度も私は高山を訪ね、美しい渓谷に添って走る高山線沿線から、乙女峠をこえて南アルプスに至るまでの地域が、ふるさとを知らざる自分にとって——少年期に米軍大空襲で潰滅した東京下町の深川が唯一の家郷であった——神秘の影ふかき日本の秘境の一部となった。

同じ頃の湯浅泰雄の日記をみると、不思議にも類似した心理状態が綴られている。八月某日（一九八一年）にはこうある。「哲学はやはり面白い。限界はあるが。哲学者は哲学の限界を知らない」大きな期待と覚悟をもって筑波入りしたが、自身哲学者の湯浅の心情は不安に揺れていた。珍しく歌が詠まれている。

花すでに過ぎたる春の肌寒く
　何なすべきか　こころさだまらず

ここらあたりの記述は、先に引用した「私の迷いはまだ深い。霧は晴れるのだろうか」の前に来ている。「霧」とは、そのあとにいったん書いて抹消した「非合理を合理的に説明せんとする」パラドックスを云ったものであろう。非合理世界の体験について、アカデミズムの世界で「論」としてあげつらうだけでいいのか、もっと直接にそれを生きなければならないのではないか――この懐疑に日々より強く捉われていく様子が窺われる。

私のほうも、体験が加速されつつあった。湯浅泰雄との邂逅の起こる一ヶ月ほどまえに、ある奇妙な出来事があった。人間の意識は、脳があればこそあるのだとしても、脳内に閉じこめられてあるとはかぎらないということの、明証であるような――。

当時、後頭部の怪音現象を聞いた渋谷のアパートから、日暮里に引き移ってきたころだった。まだ筑波に定住するほどの踏ん切りがつかず、講義に出るときだけ天久保の官舎に泊まることとして、それ以外は未練がましく東京に留まっていた。東京生活にも筑波行きにも便利なように、常磐線の通る西日暮里の駅前にマンションを見つけ、そこに引っ越した。建物の一階はコンビニエンス・ストアになっている。ある夜、筑波から戻ってそこに立ち寄ると、ふと、一冊のマンガ本が目についた。梶原一騎原作、『牙カラテ地獄変』とある。私の中には、大学教授になっても、どうしようもないやくざ気質が染みついているらしく、ついそんなものを買ってしまった。

拙宅は、ひょろ高い建物の最上階に位置している。エレベーターで昇り、畳に敷いた万年床に転がりこむや、一気に眠ってしまった。そして夢を見た。多くの経験から、ある種の夢は夢と呼べない、別の名称をあたえてしかるべしと考えているが、その標本のようなものだった。

何のストーリー性もない。電送写真のように、あるイメージだけがすうっと現れるのである。それは、骸骨だった。一個の髑髏と、その下に二本の骨がX字形に組み合わさっている。よく高圧線の通る場所などに「危険！」の文字とともに貼り出された、あの図柄だ。すると、すぐそれは消え、代わって別のイメージが現れた。興味深いのはその出現の仕方で、（眠っている目の前に）黒板のようなボードが現れ、そこへ左側から、カードでも滑らせるように、つつーとその画は移ってきたのである。それは、一人の婆さんが、大きな草刈り鎌を、こっちの首を切り落とそうとするかのように横薙ぎに薙いでいる画だった。

そこで目が醒めた。

危険を表す骸骨の図は実生活で時たま目にするが、頭巾をかぶった草刈り鎌の婆さんなどは、まずめったに見た覚えがない。西洋歌留多（カルタ）で見たかどうかといったところ。しかし、どっちも、「死」のシンボルであることに変わりはない。何でそんな「夢」を見たのか、実に奇妙だった。おまけに、枕元の時計を見ると、「４４４」を示している。「四並び（シ）」だ。これは、俺が死ぬということの予告だろうかと考えた。

もう眠るどころではなくなった。そこで、放り出してあったマンガ本を手に取った。仰臥したまま、ぱらぱらと見ていくと、「カラテ極道」といった男の放浪記である。次々と外人プロレスラーとの死闘を演ずる。すごく誇張した一人の怪物的筋肉マンがリングに登場した。そいつと向き合った日本人空手家の羽織ったガウンが、こちら向きにひらりとひるがえる。と、画面いっぱいに広がったその絵柄が、かの骸骨図なのであった。あっと驚いて、その先のページをめくると、別のレスラーとの対戦となった。日本人空手家は、また向こうを向いて背中を見せる。すると、そのガウンのデザインが、こんどは、草刈り鎌の婆さんだったのである！

さすがに私はたまげてしまった。こんなにすぐ結果の出る「正夢」も珍しい。いまさらこんなのに驚くほどこっちも初心ではないが、それにしてもテーマがテーマだけに、受けた衝撃は相当なものだった。（いまだって弱まっていない）

やくざなあのストーリーの中で、あの二つの画だけは、ま、と、も、である。「骸骨」と「草刈り鎌の婆さん」と、どっちも永遠なる死のイメージだ。極道空手家をこえた形而上学的命題にほかならぬ。

そこで疑問が起こる。何、が、眠りの間に、一冊のマンガ本の数ある画コマの中から、あの二点だけを選んで、見、せ、た、のであろうか。

ユングの「元型」理論がここでもいちばん有効なのであろう。死は元型の最たるものだ。それ以外の説明は見つけにくかろう。しかし、問題は、ほかにもあった。

夢の中の、あの黒いボードのようなものである。そこに二つの画が、一つまた一つと、滑るように表れた光景は、忘れられないものであった。二つ目の画のごときは、移動する様子まではっきり見えた。それは、つつーっと、瞬間的な素早さで、下から上へと昇りつつ右回して「ボード」に映し出されたが、ある種の電光写真のように尾を引いているようにさえ見えたのである。

それはまるで、目覚めてから実際に本を手に取り、ページを繰って、問題の二つの画だけを選んで注意深く眺めることの先取りのように思われた。手で実際にページを繰る何秒かの時間感覚のずれさえ、そこには圧縮されていた。さながら、生き身の自分が目覚めて枕辺の本を取り、それを読むのに先駆けて、眠りの間に誰かがページを繰って、意味のある画だけを抜き取って見せたというように。

意識が自分の脳から抜け出して、枕辺の本を「検索」した、としか云いようがない。目覚まし時計を見たら、「４４４」だったということは、悪い冗談だ。超常現象は、それが真実だよと云うために、そんなディテール――美術でいう「トリビュート」――を付けることが稀ではない。ルネサンス期のキリスト教絵画なら、死神を描いて、その傍に「4時」を示した置き時計を配するところであろう。

飛騨の今仙人

『カラテ極道』の死神の絵の夢体験は、物心統合を探究する計画の挫折で打ちのめされた自分を、さながら向こう側から送ってきた声援のごとく当時の私には思われたのだった。統合された次元はあるのだよ、と云われた心持ちがした。

この夢に先行する後頭部の妙音現象もそうだった。あれは、霊能者山本健造の一言に謂わば暗示されたと云えなくもない。心理分析家、たとえばカイザーリング伯なら、そういうかもしれない。しかし、「弘法大師さま」が本当に控えていたとしたら、どうであろうか。空海ほどの超越的存在がはたらきかけてくるということは、それがありえないというほうがおかしいのでは……

念ずれば叶う――信仰なき身にもそれが可能とすれば、なにゆえであろうか。

そのような啓示の秘密の証としては、浅学なる自分としては、かつて鈴木大拙師のおかげで読んだ華厳経の啓示以上のものを知らなかった。奇瑞は「諸菩薩の加護」によって起こるというのである。ある種の偉人は、死によって個体を離れても、超越的人格となって異次元に存在しつづけ、われわれ生者に懸かってくるということは否定できない。その大なるものが菩薩であろう。異次元といっても、おそらく何らかの中間ゾーンであって、それがこの世と接し、あの世とも接している。あの世――または高次元と。そもそもこの高次元なくして、諸文明が神々と呼んだ世界はありえたであろうか。

諸菩薩は日夜活動しつづけ、われわれが呼べば応え、迷蒙を開いてくれる関係にあるということが、おぼろげながら私にも分かりかけてきた。だが、それ以上のこととなると、まだまだ思考も体験も及ぶところではなかった。しかしまた、至高世界との交流も凡俗にとって不可能ではないということも、やがて体験しようとしていたのだった。ずっと後年、フランスとイタリアのマリア顕現地の旅に出ることによって確たる実証を得るように、わが人生は運命づけられていたように思う。このことは「第七巻　影向篇」で詳しく語ることとなろう。

いまから思えば、「超心理学」と云っていたころは、まだまだ道程のとばくちにうろついているようなものだった。だがそれを侮る気持はない。ある時期、われわれの中の大勢が信じた、それは最初の突破口だった。西洋の城攻めにおいて、数人がかりの力で破城槌（ベリエ）を持ちあげ、それをもって城門を打ち破り、そこから突入するようなものである。

一人で出来るものではない。多数がその可能性を信じているのでなければならない。ある時期、われわれはみんな、多かれ少なかれ超心理学者（パラサイコロジスト）だった。

なんとか気持を入れ替え、アカデミズムの牙城にベリエで攻め入りたいと、ふたたび飛騨の仙人を訪ねた。高山の里、国府町に、福来心理学研究所は立派に完成していた。入口に「学聖福来友吉博士」の肖像を掲げた畳敷きの道場で、研究所長山本健造翁と語り合った。翁はさすがに斯界に精通していた。この方面の研究は、淺野和三郎を創始者とする日本心霊科学教会、高橋巌のシュタイナー研究所などがありますと指を屈したあと、こう付け加えた。

「もう一つ、宗教心理学研究所というのがあります。これは、本山博氏を会長とし、湯浅泰雄氏が顧問です」

そうか、湯浅博士はそこまでこの世界とかかわりを持っておられるのかと思った。もちろん、そのときには私は、湯浅・本山の両氏がどれほど深い因縁のもとにあるかを知らなかった。ましてや、われわれの《コルドバ２》計画が、三度の打ち上げに失敗したあと、本山氏のおかげでついに垂直上昇の機会を勝ちとるに至ることなど、これっぽっちも想像できるはずがなかった。

同じころ（一九八一年十二月二十五日）、奇しくも湯浅泰雄は、さすがというべき予感力をもってこう日記に書いている。

「次の問題はやはりパラサイコロジーの段階か。私にとっても、来年は一つの転機らしく感じられる」

翌年四月の日記にはさらにこうある。

「筑波は内輪もめの多いところである。これも一つの伝統か。御神言で、このことにもお知らせあり」

私との邂逅はその二ヶ月後のことであるにもかかわらず、まるでこちらの紛糾をお見透しのごとくで、恐れ入る。

「御神言」とは、湯浅の信仰していた玉光神社のそれに違いない。飛騨の山本翁に教えられた宗教心理学研究所の、本山氏は会長であるとともに、この研究所と背中あわせに付置された玉光神社の宮司でもあった。そして、ある理由からして、天下の碩学、湯浅博士は、アカデミズムの世界からはやや疑問視されていた本山博氏とは切っても切れない因縁の関係にあった。そういったことは、やがてわれわれシンポジウム準備側の内部紛糾が深刻化し、計画が頓挫する時期になって漸く私は気づかされ、愕然とするのであるが。

ともあれ、再挑戦なるか。

最初の挫折のさなかに湯浅泰雄と邂逅し、協力を約されて、私は蘇生した。身辺のシンクロニシティ現象の増加に見るような、あちら側の世界からの奇態な応援もあるようで……。ここから元気を取り戻し、湯浅教授を企画室の面々に紹介するとともに計画を再提起した。

それでは、一夕、皆で忌憚なく話し合いましょうということになった。会合場所として定まったのは、「料亭松見」だった。

料亭松見

島崎藤村が『夜明け前』の冒頭に「木曾路はすべて山の中である」と書いたように、「筑波はすべて松見の中にある」とでも云いたくなる。湯浅泰雄との初会が「松見池」のほとりで、新たな旗揚げの場が「料亭松見」、しかもそれは「松見公園」の一角にあった。念が入っている。松見さん、これではあなたのことを忘れようったって忘れられませんよと呟やきながら、私は集会場所へと向かった。

真横に、ばかでかい立方形の頭をした、のっぽのコンクリート製の塔が突っ立っている。こんな無粋を風景から消去するすべはないものか。地表は、躑躅の咲き乱れる五月の夕べである。疎水に紅白の影が揺れ、そこに緋鯉真鯉が彩りを添えている。巨大な人口都市の一隅の化粧とでもいうように。四阿に立って周囲を見渡した。「松見の森」は、縦横無尽に切り取られ、そこに巨大研究施設が点々と突っ立ち、全体の雰囲気は、人類の移り住んだ遊星の一角のよう——。

かなたに、二つこぶの山嶺を持った筑波山がみえる。やがてそれは私にとって聖山となるであろう。筑波山神社の老宮司の人柄ゆえに、である。青木芳郎宮司は、私共の本願が達成され、シンポジウムが行われたときに、キャンパス内では初めてという神事を挙げてくださることになる。その七年後には、イランの刺客による同僚の殺害現場で大祓いのノリトを挙げてくださり、しかもその直前にニューヨークで私の夢枕に立って凶事を予告するという、摩訶不思議な力を持った方であった。

さしもの筑波も、これだけは人工でない薫風に吹かれて歩くことしばし、ねじくれた古木を太々と横に渡した黒い冠木門(かぶきもん)の前に出た。

一対の篝火が豪勢に焚かれている。中は庭というには程遠い巨石が武骨に配され、その間を案内されると、奥まった一室から教授たちの笑声が聞こえてきた。

左手の部屋に入りしな、手前の空室に、廊下に向かって、白い顔がふうわりと浮いているように見えた。こちらを見ないように伏し目がちに、両手をつかね、はっとする美しさの娘が、呼ばれればすぐにも飛び出すといった姿勢で、軽く椅子に腰を下ろしているのだった。

芸能山城組のヒロインで、大学院の現役女子学生である。企画室で会合のあるたびに、蠟人形のように固い表情で、「総組頭」の間近にこうして端然と控えているさまを、私は見かけてきていた。何度前を通っても、微笑もなければ黙礼もない。平安朝の大和絵の屛風から抜け出てきたような、豊頰の古典的美女が、ただ記号のように、一点、そこにあるという感じで――。

ところが、のちに、山城組上演の「鳴神」を見るにおよんで納得がいった。彼女が「雲の絶間姫（たえまのひめ）」に扮して舞台に現れるや、その冷たさがギュスターヴ・モロー描くところのサロメに劣らぬエロスの仮面であったと、私は驚きをもって発見するに至る。これでは鳴神上人ならずとも、雲間から転がり落ちるのをこらえるのは難しかろう。三ヶ月後に来日して一緒にこの舞台を見た旧友のオリヴィエ君が、熱に浮かされたようになったのも無理からぬことであった。

このオリヴィエ君を皮切りとして、われわれのパートナー、フランス文化放送の面々が続々と来日する手はずとなっていた。

企画室の見知ったメンバーと挨拶を交わしているところへ、湯浅泰雄が一足遅れて入ってきた。江口室長がいつものごとくにこやかに口を開いた。

「本日は、こうして新たに湯浅先生も加えて内々に企画を練り直そうということになりました。われわれは参与会という手強い守旧派を敵としています。大学行政をコントロールしている人たちですから、彼らの賛成を得ない間はどうにもなりません。そこで、原点に帰って本案を見直してみようと思います。本件をフランスから持ちこんだのは竹本さんですから、改めて趣旨を伺いましょうか」

向かいで盃を手にした村上和雄が、笑いながら、強い光を放つ視線を投げてよこした。

「諸君、この男は、只のネズミじゃないぞ」

「はは」と笑って私は応じた。「それじゃ、いっそ、大ネズミとなろうかな。いや、そいつに跨って、巻物をくわえ、どろどろと迫り出てくるか……」

「仁木弾正だね。先代萩の――」

村上と並んだ小田晋が、すかさず、半畳を入れる。本当に、この精神病理学者は何でも知っている。

「一言で云えば」と私は真顔に戻って云った。「私ども文化系は、理系に対して片思いを抱いているんじゃないかと思うんです。たとえば、彼岸といった問題ですが、宗教、文学、民俗学の領域では、これは絶えず本質的な事柄でした。云い替えれば、魂の問題になりますが、しかし、そんなことは、とうてい、科学的とは見なされませんね。予知は、無意識とともに、ようやくフロイトによって心理学に取り入れられましたが……」

そう云いながら私は促すように左隣の湯浅泰雄に顔を振り向けた。

「いやあ」と、哲学者は眠たげな声を出した。いつもこの人は半睡半覚といった風情である。「ユングを学びたいという学生が筑波大学に入ってきても、たしかに、心理学科では受け容れてくれませんからね。心理学といえば、児童心理学、動物心理学、行動心理学のことですから。あるいはせいぜい精神分析学までは扱うが、分析心理学は認められない……」

「ええと」と、きいきい声が上がった。湯浅の向かいで小田晋が急いで酒を飲みほして割って入る。「念のために申せば、精神分析学といえばフロイトで、分析心理学とはユング心理学のことですよ」

湯浅は「ええ、そのとおりです」と会釈を返した。いつもながら、小田教授の博識と親切には脱帽ものである。

村上和雄が尋ねた。

「で、心理学科で受け容れられない学生は、どうするんです」

「哲学・思想学系の私のもとで、倫理学の表紙をかぶせて、中身はユング論を書くというふうなことになります」

「文化系の中でさえ、そのようなねじれ現象が生じている情況なんですよ」と私は後を付けた。「まして、理系に橋をかけようなど、夢のまた夢で……。しかるに、何らかの未知なる現実に対して、もはや一つの専門では捉えきれない境界領域というものが問題となってきたということです」

「たしかに、もう自分のタコ壺に留まっている時代ではありませんよ」と小田晋が展開する。「これまで、科学の側からも、精神世界に橋をかけようという動きがないわけではありませんでしたがね。心の宇宙ということをフロイトは問題にしたが、モデルにしたのは建築学的力学のモデルで、それは一種のシステム論でした。そうした十九世紀的な発想は、われわれの二十世紀に入って、サイバネティクス理論へと発展したが、それは要するに人間機械論です。竹本さんの云う片思いというのは当たっていますね。精神世界に対して、科学のほうから一方的にねじ伏せようという態度だったんですから。ところが、遺伝学の発展によって、事態は一変しました。精神世界のほうが物質世界に影響を及ぼすという例が幾つも出てきたのですから」

「たしかにＤＮＡを研究すればするほど」と村上和雄が承けた。「僕もそのことは認めますね。遺伝は、もはや十九世紀的決定論ではありません」

筑波中の牛肉店で「村上博士」の名は響いていた。二万頭の牛の脳下垂体を使って、ヒト・レニン遺伝子の解読を猛追している最中であったから。翌一九八三年に、見事、それに成功し、一躍世界的名声を挙げるとともに、ノーベル賞候補と目される道が開かれようとしていた。

「天文学的数字の情報を満載した六十兆個もの遺伝子が整然と働いているさまを見ると、それらを生かしめている何か偉大なもの——宗教的でさえある——を感ぜずにはいられませんよ。僕は、天理出身ということもあるけれど、身体と宇宙の関連性に気づいたことから、魂の問題に興味を持つようになりました。僕自身が、一個の魂である。しかしそれが何かと問われれば答えられません……」

「何か偉大なもの」——これを「サムシング・グレート」と呼び、多くの人心をつかんだことから彼が「村上教」の教祖となる日が来ようとは、一座の中の誰ひとりとして予想できないことであった。ましてや、《コルドバ２》がそのための通過儀礼となろうとは——。

すると、戸口に近い席でそれまで黙々と箸を動かしていた大橋力が、迫きこんで云った。

「僕は、コルドバからツクバへをどう組み立てるかについて目下思案中ですが、構成の第一の柱として、認識のかなた、第二の柱は、脳から魂への架橋、といったテーマを予想しています。第一の認識の問題については、コルドバでは量子物理学を中心に大成果が得られました。それを越えることは容易ではありません。そこで、われわれとしては、脳の研究を中心に迫ってみてはどうかと思うのです。この方面での最近の成果は、コルドバの時点――たったの二年半まえですが――とは雲泥の差がありますから」

雲泥の差とは、思い切ったことを云ったものだと、私は小田晋の顔色をうかがった。が、べつに表情は動かない。そんなものなのだろうか。言葉は続く。

「人間の精神状態をリアルタイムに映像化して眺めることが可能となりましたし、モルヒネ類似のエンドルフィンが脳内で自家生産されることも発見されましたから」

と、得たりとばかり、小田晋が後を継いだ。

「つまり、こうですよ。たしかに人間の脳は、麻薬を注射しなくても自ら苦痛を緩和し、陶酔をもたらす物質を脳内で産生する能力を持っている、ということです。そこから、西洋本来の心身二元論は、ますますもって維持できなくなりました。祈り、祭といった人間のいとなみが、おそらく脳内のエンドルフィン代謝に介入しうることを暗示しているのでしょう。芸能山城組の……」と云いさして、刺身に箸を伸ばそうとしていた大橋力に顔を向ける。

「いや、まったくそうですね」と、待ってましたとばかり、指揮棒のようにその箸をぴょんと跳ね上げて総組頭は答えた。「私どもの演目でケチャを取り入れているのが、まさにそれです」

すると、思いがけず、ここで、湯浅泰雄が咳払いを一つして発言した。

「僕もインドネシアであの群舞は見ましたが、あれは凄まじいものですね」

「ケチャをやっていますと、ある段階から、群舞の連中の間にＡＳＣ（変性意識状態）が起こってくるのです」

私は、そのときにはまだケチャを見ていなかったので、何とも云えなかった。が、筑波大学で実際にシンポジウムが開催され、そこで私の発案で新体道の演舞が行われたとき、グループに起こった集団催眠のごときエクスタシー現象は、似たようなものだったかもしれない。これを見て動揺した外国人科学者たちから私は吊し上げを喰う羽目となるのだが。

議論は、やや脱線した方向へ行きかけていた。小田晋の頭脳がそれを軌道に戻した。相変わらずの、あっけにとられるほどの博識である。

「自律神経というのは、ふつう、本人にとってはどうにもならないとされていますね。

ところが、坐禅観法の一つである阿含用酥（あごんようそ）の法は自律訓練法で、開眼していても遅い波やシーター波を作り出しますし、空海の虚空蔵求聞持法は、脳内の白紙に仏像の姿や経典の儀軌を直接に刻印することによって超人的記憶力を獲得させることを可能とします。つまり、身体に対する精神の作用が歴然と明らかになり、ここに従来の二元論的人間観は崩れさったのです。信仰の力といったものをも、新しい角度からわれわれは探究しなければなりますまい」

「それと、芸術創造の力ですね」と私が云ったのにやや遅れて、湯浅泰雄が大きく頷きながら核心の一語を吐いた。

「この新しい探究に、超常現象をも含みますか、含みませんか」

「もちろん、含みますよ」

精神病理学権威のひとことで、懸案のハードルは越えられた。

しかし、この時になって私は、一座の中に物理学者が一人もいないことが気になりだした。企画室メンバーの中にいないはずはない。そのことを口にすると、温厚な笑みを浮かべて江口室長が、案内状は二、三の方に出したのですが、と口ごもる。そして云いにくそうに付け足した。

「竹本さんの書かれたコルドバ会議の摘要も参与会に提出したのですが、特に反応はありませんでした。ただ、松浦副学長から、物理用語の訳に一つミスがあるとか云われまして……」

副学長も物理学者である。呆気にとられて私は思わずこう口走った。

「専門外のこととて、誤訳があったのはお恥ずかしい次第ですが、あれだけの画期的大会議のレジュメーです。それにしても、ノーベル物理学賞のジョゼフソン博士をはじめ、特にデイヴィッド・ボームなど、世界的大物理学者が、意識と宇宙の関係についてあれほど大胆なヴィジョンを提起しているのに、本学では何一つ反応がなかったとは残念ですね。いま、ここで問題とされている物質に対する精神の作用について、向こうでは、意識の非局所性という概念を持って踏みこんで論じられているのですから」

「そこが大事ですね」と湯浅泰雄が同意したのに助けられて私は続けた。

「云い替えれば、意識は脳を離れて存在しうるか否かという問題です。経験的には、存在しうるという答えが出ています。いちばんハードの領域である物理学においても、ご存じのとおり、量子力学における観測例がまさにそれを証明しているわけですから。これについてコルドバでは、ある物理学者が、意識はノン・ローカル、非局所的であるという言いかたをしています。つまり、意識は、頭脳の空間的限界のかなたにまで広がっている、と……」

そう云いながら私は、あの「死」の夢を思い出していた。骸骨と、草刈り鎌のばあさんと。しかし、まさかそんなこと――マンガ――を事例に持ち出すわけにはいかない。

相手は「科学者」たちだ。

と、左手の隅で刺身に箸を伸ばそうとしていた山城組の総組頭……いや、情報工学者の大橋力が、さっきから指揮棒のように振り回している箸を今度は垂直に振り下ろして口を挟んだ。

「僕は、そういうことはあると思いますね。鳥の大群が空中で、あるいは魚の大群が水中で一斉回頭しますね、あの情報伝達はノン・ローカルだと云えるのではありませんか」

「コルドバでも、大脳生理学と心理学にまたがって、そこのところは人間の変性意識状態として大いに論じられました。しかし、私は、デイヴィッド・ボームの暗在系の理論に最も動かされましたね。暗在系とは、インプリケート・オーダーというボーム独自の概念に対する拙訳でして、ある意味で、これは見えない次元です。もう一方の明在系という見える次元に相対するというか、それ以上に、両者は巻きこみ合った関係にあるとボームは見ています……」

「暗在系―明在系」とは、私の訳語だった。シンポジウムにオブザーバー参加した情報工学者の松岡正剛氏から名訳だと誉められた。その後、別の訳語も世に現れたが、「インプリケート」対「エクスプリケート」に含まれる「明暗」の対比が捉えられていない。「暗在系―明在系」の語は、当時、物理学の枠をこえて、社会現象的に流行語になりつつあった。

私は言葉を継いだ。

「なぜ私がこの世界観に特に感動したかと申しますと、コルドバで発表された『宇宙の暗在系―明在系と意識』というボームの論文に、曰く云いがたい、実に美しい詩を感じたからにほかなりません。私の見かたからすれば、科学的世界観に詩を感じなければ芸術の世界に橋はかからないと思いますね。この詩とは、科学者の側からみれば、方程式なんじゃありませんか」

それはそうだ、といったふうに周りの頭が頷いた。勢いづいて私は続けた。

「《コルドバからツクバへ》をやるに当たって私が案じていることは、暗在系―明在系といったような大胆な仮説を日本から呈しうるかどうかということなのです。福田学長は、アンチ・オーソドクサーだねと云われました。そういうことになるだろう、なってほしいと願っています。それと、フランス側から提案された東西の対話という軸を加味してやる以上、日本から、どんな概念、用語をもって臨むか、ということです」

みな、これには異論はなさそうだった。しばし沈黙の気が流れ、それを埋めるように湯浅泰雄がまた口を開いた。

「いやあ、私はね、個的体験の科学というものもありうるのでは、と思っているんですよ。純粋科学の定義は、レキュレント、反復的ということで、それが客観性を保証するわけですね。しかし、人間の体験はノン・レキュレントであって、だからといってそれが虚偽ということにはなりませんよ。夢も、ヴィジョンも、予知も、そうです。われわれのシンポジウムは、こうした概念規定、いうところのパラダイム転換をやるような場であってほしいと念願しています」

「パラダイム転換」は流行語となりつつあった。それにつれて、「ニューサイエンス」も。それはむしろ、文系からの夢だった。私が「片思い」と呼ぶような。

さすがに、湯浅博士の一言は、集会にピリオドを打った。

と、その瞬間を待っていたかのように、襖がそっと、一寸ほど開いた。

すぐその傍に坐った大橋講師、いや、芸能山城組の親分のもとへ、三つ指をつくばかりに、あのミステリアスな美女が廊下から躙り寄ると、何やら耳元へささやいた。こちらからもささやきかえす。

と、音もせず、黒髪はひるがえって、しなやかな肢体は夜の庭へと消えた。

私には、それが、密命をおびた忍者のようにみえた。河合登紀枝は、きっと、松見公園を出外れた一角に車中で待つ、もう一人の側近、東大女子学生へ指令を伝えに出たのだろう。そしてただちに二人は、夜のいずこかにたむろする仲間のもとへと、キャンパスを抜けて走りさるのであろう。

《コルドバ2》は、もはや、おっとりした湯浅・竹本組を飛びこえて、この忍者集団の動きのようなスピードで、一人の飛び抜けた前衛芸術家、兼、情報工学者の頭の中で、ケチャの鳴り物入りの図面を描いているのかもしれない。

外は、一面の星空だった。

第二章　神秘の場

大神神社の「三島由紀夫」の部屋

ある夜、日輪のごとき光体が浩々と四囲を照らしながら、大和の三輪山の頂の一本の杉の巨木に降り、われは日本の大物主命なるぞと名乗ったと、十二世紀の古書は伝えている。

その御山に面して、これを御神体とする奇しき三つ鳥居の拝殿がそびえ、そこに向かってまことに神々しい参道が伸びている。いましも、その一の鳥居をくぐり、われらフランス取材班を乗せた軽自動車が二の鳥居に到着すると、その右かたわらに老宮司、中山和敬氏が、ひとり、浄衣に袴立ちの正装で立って出迎えてくださったのであった。

三輪山に向かってそこから延びる参道は、驚くほど丈高い両側の杉の木が濃緑の葉叢をもって自ずと大聖堂の身廊のごとき景観をかたちづくり、その余りの荘厳さに、四人の俗人は、しばし言葉もなく見惚れて立ちつくすばかりだった。

それから一行は、まず、「その部屋」に向かって、ごろごろと車をころがしていった。

一九八二年八月二十五日の午後である。

「その部屋」とは、三島由紀夫が『豊饒の海』の第二巻、『奔馬』の執筆にあたって大神神社に参詣し、そこで二泊させてもらったという曰くつきの一室である。三輪会館の中に位置している。中山宮司のはからいで、そこに私共は一夜を過ごさせていただく手はずとなっていた。

それより十六年前の六月、ここに三島を泊めて三日間、案内をつとめたのが中山宮司その人であった。三島ゆかりもさることながら、まさかそれが自分自身にとって生涯忘れがたき神秘体験になるであろうとは思いもよらず、粋をきわめた日本間で私は仲間とともに荷物ほどきにかかった。

フランス文化放送が日本紹介の特別番組を製作するということで、オリヴィエ君から委嘱を受けて私は全三週間の取材旅行のプランを立て、これを《知られざる日本を求めて》と題した。計画どおり、一行はすでに最初の一週間の日程をこなしてきたところだった。取材班は、ディレクターのオリヴィエと、腕っ節の強そうな磊落なそのアシスタントと、もう一人、ラジオ・フランス秘蔵の年輩の録音技師との三人組で、これに私がプランナー兼ガイドとして加わった。幸い大学が夏期休暇であることから全行程を共にした。

第一週のコースは、「高山から高野山へ」と名づけた。まっさきに、飛騨高山の「今仙人」山本健造翁を訪ね、福来友吉の念写実験について語ってもらった。テレビでないから画の出ないのが残念だったが、おそらくこの放送は日本の「ネングラフィー」(念写)をヨーロッパに紹介した嚆矢となったであろう。山本翁は、その敬仰おくあたわざる弘法大師について熱心に語り、われわれはこれをイントロとして高野山入りした。そこでは、若き密教美術の権威、真鍋俊照氏にインタビューした。前述のごとく、日本で初めて私が《コルドバ2》の企画について打ち明けた畏友である。その時の会話で、一九八四年が弘法大師の千百五十年遠忌に当たるからその年にやるのがよかろうと示唆されたことは、つねに念頭にあった。七転八倒の辛苦のあと、実際にその年に実現を見るに至るのであるから、さすがに大した眼力というほかはない。

ところで、真鍋俊照は、若年にして三島由紀夫に輪廻転生を講じたほどの逸才である。このことを回顧してもらったことが、取材第二週の「三島コース」の皮切りとなった。そのトップに大神神社参詣を置いてテーマをつなげようとこころみたのである。いうまでもない、『奔馬』は、第二の転生の若者、飯沼勲と弁護士本多繁邦との出会いの場を、同社社前での奉納剣道試合の場面に設定している。

翌日は、松枝清顕の悲恋の舞台、「月修寺」こと円照寺へと回る予定だった。

最後の第三週は「筑波コース」にあてている。《コルドバ2》の実現にあたって、筑波大学の共催者、フランス文化放送のディレクター、オリヴィエ君一行をキャンパスに迎え、計画の活気づけとしたいというのが私の狙いだった。

中山和敬宮司は、多年、ここで奉仕すればこうもなるかと思われるような、気品高き老翁であった。御年七十七歳になるという。三島由紀夫をここに迎えたのは十六年前のことで、私共がお目にかかった翌年には宮司職を辞しておられるから、得がたい邂逅というべきだった。

拝殿で一同、柏手を打ったあと、一席の講話を拝聴した。

「信者たちには、祈りの言葉として幸魂（さきみたま）奇魂（くしみたま）と唱えるように指導しています」といわれた言葉が心に残った。

「幸魂奇魂とは……」と、正座した膝を近々と私共に寄せて宮司は説いた。レシーバーを耳にあてた格好で、集音係のジル・ドロロンが、スティック・マイクを宮司の烏帽子の前に持っていく。「……出雲国のオオクニヌシノ神が、自分ひとりでどうして国造りができようかと思い悩んでいたときに、不思議な光で海を照らして寄ってくる神があり、その名を尋ねると、われはなんじの幸魂奇魂なりと答えたところのものです」

私は通訳した。メモを取っていたオリヴィエが、ちょっと手を止めて何か問いたげな振りを示す。それを予期したかのように宮司は応じた。

「フランスの皆さんは、たぶん、奇妙に感じられたでしょう。しかし、幸魂奇魂とは、和魂を表したものなのです。オオクニヌシノ神は荒魂をもって国造りにあたったが、それだけでは十分ではない。和魂が添わなければならないと感じていました。するとその分身が顕れたものと解されます。国の創成にあたっては、武治と併せて文治が必要であるというふうに解釈してもいいかと思います」

と、オリヴィエが口を挟んだ。

「私共にも分かりますよ。そもそもフランス王国は剣の一閃、二閃、三閃によって築かれたと、ド・ゴール将軍は書いています。実際に、将軍自身、剣の刃を研げという有名な持論を実践して救国に至ったのですから。ド・ゴールは、宮司のおっしゃるように国のアラミタマだったのでしょう。そこへ、ニギミタマの権化のようなマルローが加わって高い文化の光を投げ、憲法を改正して第五共和国を創成し、国は衰退から復活しました……」

そのド・ゴールとマルローが轡を並べてフランスの栄光を天下に輝かしめた十年間、オリヴィエ・ジェルマントマが若きヒーローとして活躍する姿を私は身近で見守ってきた。一九六八年の「五月革命」——日本では「学園紛争」がこれに同調した——で共和国が累卵の危きに陥ったとき、突如、反革命の旗手として「学生ジェルマントマ」が歴史舞台に躍り出て、ついに情況一転へと至らしめた奇跡的貢献については、「第二巻出遊篇」で語ったとおりである。そのことを私がかいつまんでコメントすると、中山宮司の顔に喜色が浮かんだ。鼓舞されたようにこう応ずる。

「自らのうちにあって、かつ外にある幸魂奇魂を崇めることによって、日本的超越性が成り立つのです。これを身につけたオオクニヌシなるがゆえに、日本神代記中の最重要の感動的事件である、神武王朝への出雲の国ゆずりという無血交渉が成立しました……」

宮司の言葉を承けて、それはかくかくしかじかと、私。

単なる取材班ではない、選ばれた若きフランスのエスプリによる深層の日本探索は、大国主神を主祭神として祀る――大物主神の名で――ここ大神神社の並びなき神威に叶ったのであろうか。おそらく主宰神は喜び給うたのではと後々まで考えさせられるような奇瑞を、その夜、私は体験するに至る。

三島由紀夫の宿りした、その部屋で――。

「クエヒコ」顕現す

そこは、檜の薫りもまだ残る和室だった。

三島由紀夫は二泊しながら、百合の花の巫女舞を見に行って「あんな美しい古拙なお祭はない」と激賞し、御神体の三輪山にも昇って「瀧の下」の出遭いを持った。もちろん、出遭いを持ったのは、三島由紀夫その人ではなく、「本多繁邦」であったが。

宮司のもとを辞し、私共四人は、森々と神気の身にしむ夜の境内を歩いて、三輪会館に戻った。数寄屋造りの離れの寝室に、すでに夜具はきちんと敷かれていた。その日の早朝、奈良のホテルを出てから大神神社に着き、一日中動きづめで疲れきっていたから、みんな早々に床に就いた。

廊下から入った正面に床の間があり、これを縦軸に、四人が二人ずつ分かれて頭を寄せ合う格好に床が延べられている。

私自身は、右側の手前の布団にくるまった。

夢も見ずに、一気に眠った。

未明、うっすらと目覚めた。目をつぶっていたか、開いていたかは定かでない。しかし、私は見たのだ。薄明かりのなか、あるものが床の間から抜け出て、こちらへ歩いてくるのを。

それは、三歳児ほどの、小さな、異形のひとがただった。往古の土偶のような、ずんぐりした格好の――。その一体が、床の間から抜け出るように顕れて、寝ているわれわれ四人の中間の枕辺を歩いてくるのだが、異様なのは、その歩きかたただった。左右に体を大きく揺すりながら、一歩、一歩、足をよたよたと重たげに持ちあげながら進んでくるのだ。もう一つ印象的なのは、これが「アーカイック・スマイル」というのだろうか、古拙な笑いを顔いっぱいに浮かべていることだった。それは、いかにも余は満足であるぞよといったふうにみえた。そのように笑いながら、四股でも踏むように足を交互にもたげて、そのものは最後に私の枕辺を通り抜け、廊下のほうへと掻き消えていった。

朝が来た。隣室で食卓に向かって私は仲間に何と切り出していいか言葉が見つからず、しばし黙っていた。しかし抑えきれずに、夢を見たよと云った。あのブエノスアイレスでの怪奇体験のあとに、カイザーリング伯爵に、何と云っていいか分からず、「夢」と云ったのと同じように。依然として私は「ヴィジョン」というものが分からずにいたのだ。すると、驚いたことに、「俺も夢を見た」とオリヴィエ君が云い出したのである。

「ミシマが現れた……」

物静かな集音係のドロロンが端正な顔を、オリヴィエの助手のアブグラルがこわごわした髭面を、それぞれ皿の上から上げた。先手を取られて私はどぎまぎして尋ねた。

「どんなふうだった？」

「苦しそうだった……」

箸を置いて、オリヴィエは答えた。中世ロマネスク芸術の傑作、「王の頭像」をちょっと思わせるような、贅肉をそいだ厳しい表情を、いっそう険しくさせて。

「この部屋の中を三島は浮遊していた。苦悶する様子で……」

動揺を隠しきれない口調だった。

それにしても、同床異夢か。こっちの見た形象とはずいぶん違うな……

「で、お前のは？」

と聞かれて、やむなく見たままを語った。

フランス人三人は、ただの幻想とでも受けとったらしい。こちらもそれ以上註釈する知識は持ち合わせていないので、それきり口をつぐんだ。ユング派分析医のカイザーリング伯が居たら何というだろう。またも、左手を挙げてみよ、それは君の内心の投影だと云うだろうか。

昇る朝日と一日の仕事が、夜の幻影を駆逐した。一行は、照り輝く青葉の中に出た。今日は三輪山に入山させていただく許可を得ている。あるものを見るために。

「又、會ふぜ……瀧の下で」

『豊饒の海』は、その主題とする「神秘」の一語を、くどいほど、三輪山への入山の場面から繰りかえしている。

「宮司」――中山和敬その人――から、「本多弁護士」はこう聞かされる。

「それは森厳なものですよ。頂の盤座(いわくら)を拝まれた方は、神秘に打たれて、雷に打たれたやうな心地になると云ってをられます」

この「神秘」について本多は半信半疑なのだが、もしやとの思いで、炎熱にもかかわらず昇りはじめる。

彼にとって、許容しうる神秘は、まづそれが明るくなければならぬといふことだつた。すみずみまで明晰な神秘があったとしたら、彼は進んで信じるだらうと思はれた……

法律家という、およそ杓子定規の固まりのような人種をこちら側に据えて、その合理を根底から覆すような輪廻転生の第一の証拠を白日のもとにさらけだす見せ場、有名な

「瀧の下」の出遭いに至るための、慎重な伏線である。

ところで、この大河小説の仏訳は、当時、パリで出版されてはいたものの、残念なことにオリヴィエ君はまだそれを読んでも持参してもいなかった。従って、「三島コース」といっても、取材班の誰もそのストーリーを知らず、私は随所で口述訳を交えながら解説がかりをつとめる仕儀となった。

著者自身が、自決に先立って、パリの私の手元まで送りこした献辞入り三巻本をたずさえて——である。

同書では、本多弁護士は、赤松や黒松の群生する谷間を見下ろしながら、深山の木の間を舞い駆ける椎の樹冠の淡黄色の花に、電流のように神気を感じつつ、険しい頂上の沖津盤座（おきついわくら）へとよじのぼる。そこからその背後の高宮神社をも遠目に拝して下山路に就く。下りは一層の難路をこけつまろびつしながら、「三光の瀧」に辿り着く……

しかし、登頂は、三島由紀夫に特に許された例外的な恩恵であった。私ども取材班にそこまで禁忌をおかす資格は認められていない。そうでなくても、中山宮司から案内役を託された若い神官は、ご大層な録音機械をかかえた外人組がどやどやと禁域に足を踏み入れたときから、何か不始末を仕出かすのではないかとびくびくものの体であった。

ともあれ、こうして、本多こと三島が頂上から下ってきたのとは正反対に、私たちは麓から山腹を登り、両者、ある一点で、ぴたり、相会した。そこが「瀧」だったのである。
水垢離（みずごり）をおとりになってはどうですかとの案内人の声に従って、本多は小屋で服を脱いで滝壺の方へと向かう。と、そこに、先に剣道大会で見事に勝ち抜いた凛々しい若者、飯沼勲が、二人の仲間とともに滝行をしている光景を見る。勲は果たして死んだ清顕の生まれ替わりであろうか。その印を、水しぶきにつつまれた少年の左腕から乳にかけて、清顕と同じ「三つの小さな黒子（ほくろ）」に見いだした……

滝の前に立って、私は、『奔馬』のその箇所を訳して収録させた。

三島文学を、しかし、このように拾い読みしたのでは申し訳ない。それに、懐疑主義的なフランス精神にとって、輪廻転生を「黒子」に還元したと受けとられては嘲笑の種になりかねない。美あってこそ、深淵は光る。そこで、続いて、物語を遡って第一巻の『春の雪』を取り出した。（ここにも、表紙を開くと、「竹本忠雄様　三島由紀夫」と雄勁なペン字で署名されている）。ラストシーンをどうしても朗読する必要があった。清顕が、失恋の果てに、いかに親友本多の腕の中で息絶えたかの光景を。

　一旦、つかのまの眠りに落ちたかのごとく見えた清顕は、急に目をみひらいて、
本多の手を求めた。そしてその手を固く握りしめながら、かう言った。

「今、夢を見てゐた。又、會ふぜ。きっと會ふ。瀧の下で」

——帰京して二日のちに、松枝清顕は二十歳で死んだ。


白昼の神秘！

だが、じりじりと灼きつく真夏の太陽のもとで、それを維持するのはどんなに困難なことであろう。水垢離の話を聞いて仏人側はだんだんとそわそわしだした。水垢離をとるって、誰でもできるのですかと、アシスタントのアブグラルが聞いた。できますと、若い神官は答えた。と、こう云いも終わらないうちにこのひげもじゃの男は、もうシャツを脱ぎ捨てていた。その名の暗示するようにアラブ系なのか、赤褐色の肌に黒い剛毛が汗に濡れて陽光に光った。おおい、みんな、いっしょに水を浴びようよ。オリヴィエも、ドロロンも、機械を岩場に置いてシャツを脱ぎはじめた。驚いたのは神官である。血相を変えて叫んだ。

「皆さん、お滝は、シャワーじゃありませんよ。潔斎をしないで飛びこむことはできません！」

神秘の追求は、つかのま、光を乱した狼藉をもって終わった。

美輪明宏の熱唱

それから一同は、ふたたび車を駆って、奈良、帯解の円照寺へと向かった。が、そこでは大神神社に着いたときのような心の昂ぶりを感ずることはできなかった。

云うまでもなく、円照寺は、清顕の恋人、聡子が髪を切って身を隠した月修寺のことである。『春の雪』の比類なき悲恋物語は、病む青年の、拒絶されても拒絶されても山門へと通うフーガ的反復技法によって、徐々に終局へと狂おしいばかりにその悲壮美を高めていく。あの死を賭しての往還ほど愛を輝かしめる行為があろうか。あまりにもその綺想（ロマネスク）は現実よりも現実的なので、作家三島を迎えたという寺の執事と私共は会って話を聞き、小説の舞台設定の跡を見回ったが、かえってこのほうが寒々しいほど空虚であった。

このあと、東京に戻った。

ちょうど上演中の『黒蜥蜴』を観て主演女優の小川真由美を楽屋に訪ね――あとで村松英子に話すと「なによ」と云われた――、最後に美輪明宏をそのポケット・シアターで取材することをもって「三島コース」は終わった。

私は、自分がまだベレー帽をかぶってプレイ・ボーイを気取っていたころに、銀巴里で当時「丸山明宏」名で出ていたこのアーチストのシャンソンを聞いて、何とへたくそと思っただけだったが、その後の人生の曲折を経て見違えるような深みのある人物に変貌したさまを見て、かねがねひそかに舌を巻いていたから、進んでこのインタビューを企画した。フランスからということで、猫の額ほどの小さなステージで美輪明宏は熱唱した。かぶりつきに坐った私どものすぐ前で、涙と鼻水をいっしょにしたたらして歌いまくる艶姿に、サブ・ディレクターのアブグラルは感激して、こんな素敵な「ホモセクシュエル」は見たことがないと洩らした。もしかすると、フランスの取材班にとっては、「三光の瀧」の透明より、こちらの妖艶のほうが御利益あらたかだったのかもしれない。

「あなたは三島由紀夫と親しかったと聞いていますが」と、オリヴィエが質問した。

「最後に交わした言葉はどんなでしたか」

ステージから下りて隣に坐った美輪明宏は、マイクに向かって、「フランスの皆さん、ボン・ジュール」と挨拶してから、こう答えた。

「明日が市ヶ谷への斬り込みという前の日に、三島先生は私に電話してきて、こうお聞きになったのよ。きみ、僕のこと、愛してるって。私は夢中になって答えました。ええ、ええ、本当に先生のこと、愛していますって。それが最後の会話となりました……」

ミラーボールの回る光線に、濃いアイシャドーの目に涙をきらきらさせ、何物にも代えがたい想い出というふうに語る不思議な美貌を目前に見ながら、ふと私はこう考えた。きっと、「ミワ」という芸名は三輪山から来ているのであろう。「瀧の下」の美少年の脇腹にまで「三島先生」が見いだそうとした神秘は、いま、この長い睫毛(まつげ)の下の雫(しずく)に宿っている、と。

それにしても、大神神社は神異の場であった。

本多にとっては輪廻転生の証、私にとっては奇妙な稚児神の顕現によるところの――。本多にとってであって、三島にとってではない。

大神神社での神秘の追求の光景はすさまじい。信じたいとの一念が、ついに「瀧」の中にその明証を透視する。しかし、著者その人は、実は何も見ていない。「神秘といふものが、こちらの意思にかかはりなく、たちまち理不尽に襲ってきて居座るさま」について語るのは、三島ではなくて、本多――架空人物である。

「又、會ふぜ。きっと會ふ、瀧の下で」は、私自身にとっては、那智の滝であった。その事件は八年前に起こり、主役はマルローだった。そこでマルローは「瀧」の中に

「アマテラス」を見た。それは、二日後、伊勢に入って、内宮の千木のかなたに「アインシュタインと伊勢が収斂する」一点を洞見したことへの、プレリュードとなった。神秘は、高い千木のかなたから、見上げるマルローの頭頂へと、一直線に天下った。その直線、垂直軸は、それに先立って「天帝が衣を広げて落下する」と見た根津美術館の「那智瀧図」の垂直軸にオーバーラップするものであった。

「又、會ふぜ。きっと會ふ」の「瀧」は、この意味では私にとっては那智の滝であり、そこで「出會ひ」はすでに起こっていたのである。

マルローは『豊饒の海』を知らず、三島は那智の滝でのこの啓示を知らなかった。三島の死はマルローの熊野・伊勢路の旅の四年前に起こっている。会わずして、しかし二人は「契(かな)」っていた。帰途の南紀線の車中で私は『仮面の告白』を読みふけるマルローの姿を見ている。川端康成の遺志によって実現した皇太子明仁親王と美智子妃への御進講、那智の滝と伊勢内宮の啓示、さらには「ミシマ」の自刃が喚起した武士道の日本は、不世出のフランスのジェニー、マルローのもとで、惑星直列のように直列している。この一系にむすぶ何かこそ、日本のジェニー三島があれほどまでに追求した神秘だったのではなかろうか。

ともあれ、《知られざる日本》の「三島コース」が終わって帰京する新幹線の車中で、私は、あの床の間から顕れた土偶めいた物怪のよたよた歩きと、アーカイック・スマイルとが、しきりと瞼に甦えるのを感じていた。例によって、そのときにはまだ、ただのとんでもない幻想という思いを捨てきれずに。

その意味が明かされる日が来ようとは、そのときにはまだ思いもよらないことだった。

第三章　「中」——第一の夢告

村松家と湯浅家の間

年改まって一九八三年（昭和五十八年）となった。《科学・技術と精神世界》国際会議を大学に提案してから二年目に入り、少しは進展をみるかと思いきや、反対に上層部から二度も却下され、お先真っ暗なまま新年を迎えた。

その間、私は漸く筑波移住を決心し、西日暮里の住居を引き払った。移転先は、これまた奇縁の続きというべきか、いまや刎頸（ふんけい）の友となった湯浅泰雄の住む並木町だった。湯浅から勧められてそこへ引っ越したのではない。「隣家が開いているからいらっしゃいよ」と声をかけてきたのは、村松剛教授だった。

村松剛には、新規の準備委員会の顔ぶれに加わってもらっていた。彼とはパリで知り合って以来の間柄で、当時、学内では比較文化学類長として勢威を振るっていた。そこで肩入れを頼んだのだが、楽観的にすぎたようだ。さなきだに空転していた計画は二派に分裂したからである。

ところで、並木町というその界隈は、のちに筑波大学学長となる江崎玲於奈博士の命名によれば「トーチカ」の群落であった。実に味もそっけもない生コンクリートの打ち抜きの、立方体の二階建で、そんな角砂糖をばらまいたような家が何十軒となく点在する一帯の一個に取りついた、自分は一匹の蟻となった。行政的には「桜村村民」になったにすぎない。「筑波に住むことになりました」と村松英子さんにいうと、「ご愁傷さま」と返された。

拙宅は、道路に面した庭の中にある。裏手は村松邸に接している。いっぽう、湯浅邸のほうは、村松邸とは反対方角に五、六分、歩いていった先にあった。しかし、方位的には竹本家は村松・湯浅両家に挟まれた格好で、これは会議準備をめぐって対立を深めていった二派の、さながら縮図のようになった。

二派とは、湯浅・竹本組と、大橋・村松組である。こっちがのほほんとしている間に向こうは政治力を発揮して地歩を固め、両者の亀裂は深まっていった。実際に、それからの一年間は、対立が次第に表面化し、激化し、ついにはそのために三度目の、そして決定的な計画崩壊の一歩手前にまで追いこまれる崖っぷちとなった。

それはまた、私などよりはるかに魂の澄んだ、それゆえダメージを受けやすい湯浅泰雄の最悪の受難期間でもあった。そこには、外部紛争の影響以外にも、外目には分からない血筋の暗い来歴もあったようだ。日記には繰りかえし、「ノイローゼ」、「死を思う」、「倨傲（きょごう）に対する神罰」といった言葉が出てくる。倨傲とは、これほどの謙虚の人がなぜと驚かされるが、陽子夫人が神に仕える巫女さんなるがゆえの反応でもあったろうか。あなたは学問ばかりしていればいいと思っていらっしゃるようですが……といった具合に詰め寄られて、大先生もしばし立ち往生という場面も稀ではなかった。時には翻然、亭主たるの沽券（こけん）が復活して、夫婦喧嘩となることも免れなかったようで……

「湯浅日記」には同じく、祖父と父から受け継いだノイローゼの気質のことが克明に記されている。そのようなことは自分ごとき外部の人間のいやしくも窺いえざるところだったが、何らかの見えざる要因によって哲人の心が日々より暗鬱となっていく様子は、手にとるごとく分かった。なにしろ私は、当時の博士の最側近の同志であり、隣人であったから。たしかに、そこには、「血」もあったであろう。しかし、他方、透明なるゆえの、大いなる直観のはたらきもあった。博士の魂は、われわれの計画がもはやわれわれ二人の手からもぎ取られて、秘密裡に別の陣営によって組み立てられつつあることを明察していたのだ。

純粋は、しかし、当然、不純より代償が大きい。人間社会は、現実をこえた、魂のヒエラルキーによって構成されている。凡人、賢人、聖人……と位階が上がるにつれて、支払い額は増えていく。湯浅博士は、支払っていた。私などより、ずっと高価に——。

新年になって、こちら側が沈滞したのとは反対に、大橋・村松陣営は飛躍した。一月早々、村松剛がパリに飛んでフランス文化放送の歴々と会ってきた。私は隣人というのに噂で聞かされたような始末だった。我が方は完全な麻痺状態となった。

そういえば、前年末に湯浅泰雄が企画室長から呼ばれて、大学当局と連動する「組織委員会」を別箇につくって、湯浅・竹本側は「実行委員会」で対応するようにとサジェストされたことがあったが、その意味を察知できないほど、こっちはぼやぼやしていたのだった。大学行政のレジームと、科学たることの合理と、この二つが組み合わさった鉄壁の向こう陣営に対して、競い合うことなど出来ようはずがなかった。彼岸など、もはやクソくらえだ。非合理の科学など、誰が認めるであろうか。まして、資金づくりも解決できない立場で……

良い事をやれば金はついてくる、といえば聞こえはいいが、そんなふうに楽観して私は駒を進めてきていた。事が金を生むのであって、金が事を生むのではない、と。実際、私には、そう考えて、不可能とみられた大企画の二、三を国内外でこなしてきた経歴があり、ここからよけい楽観論者になっていた。しかし、世の中は、財布を握ったほうが勝ちだ。その財布は、相手陣営の手の中にあるのだった。

湯浅泰雄は、超然たる気質から、私自身は単に不明のなせるわざから、こうした舞台の暗転に気づかずにいた。私自身についていえば、生来、物事の裏を知ることに無関心で、というより大嫌いで、人生、そのために手痛い失敗を何度となく繰りかえしてきている。そこには、よくいえば、大事なのは「事が成る」ことであって、「己が出る」ことではないという自銘のごとき意識が絶えず無意識的にはたらいていた。その大元は、思うに幼時、母から、「みんな、俺が、わたしがということばかり云っている。それが一番悪いことです」と躾けられたことにまで遡るかもしれない。しかし、元来、日本人とは、多かれ少なかれ、みんなそのような無私、無意識の心に生きるという種族だったのではあるまいか。ラフカディオ・ハーンは、そうした日本に憧れて小泉八雲となった。

ともあれ、こと《コルドバ2》、すなわち《科学・技術と精神世界》会議に関するかぎり、目的は、見えない世界へ橋を架けることで、自分はそのための橋桁の杭の一本にでもなればいいと考えていたから、相手が山城組であろうと何であろうと難関突破をやってくれるなら結構と受けとって鷹揚にかまえていた。ただし——ただしである——、この橋が、別の方向に向かって架けられることになれば話はぜんぜん別であった。

ここのところの矛盾に、湯浅泰雄が気づかないはずがなかった。湯浅と村松との仲は、まったく違ったタイプの二人ながら、最初は互いに学者として畏敬の念を分かち持っていた。両所の出会いの初め、湯浅邸に村松が夕食に招かれたことがある。村松は湯浅の著書をよく読んでいて、出典を挙げ、これこれの点に蒙を啓かれましたと率直に讃辞を呈したのを私は聞いている。蔭でも、「大学者」と呼んで憚らなかった。湯浅のほうでも、この夕食会のあと、「村松さんの分かりの早いことと、クールなことには感心させられる」と驚きを隠さなかった。

私自身の村松剛との関係はパリ以来のものだった。文芸評論家としてのみならず、国際政治面での活躍もつとに耳にしていたが、多くは自分の滞仏中のことである。私の筑波入りにあたって村松教授は陰に陽に推挽の労をとってくれた。「竹本は（ソ連体制下の）ルーマニアにまで行って講演してきている」というふうに周囲に説いてくれたようで、こうした国際的視野からの理解者としては彼の右に出る人はいなかった。「あなたを教授で迎えることは、駱駝を針の穴に通すより難しかった」と後に述懐されたが、さもありなんと思う。国際性を看板にかかげる筑波大学ながら、国際性を身につけた教授の数はけっして多くはなかった。そんな中で「竹本君はフランスで有名だが、僕は有名ではありません」と云い切ってこちらを立ててくれる好意に私は感じ入っていた。

このような関係にあったから、フランス相手の学会に私が村松教授を引きこんだのは自然のことだった。それに彼の文芸作品の中に神秘の影の揺曳をも認めないでもなかったから、「橋」を架ける作業に無関心ではなかろうと察せられた。特に『死の日本文学史』は独創的で、一時は私はその仏訳を考えたほどだった。そこで語られる神話中の海底の宝珠の描写などは美しく、詩が感じられた。

そこで、「いらっしゃいよ」という誘いに応じて村松家の隣人となったわけだが、村松家の向こう隣にはマスコミ界の大物、青木彰教授が住んでいた。その父君は、日米戦争中、航空母艦「赤城」の艦長だった人である。青木、村松、竹本と家が並んでいるのを見て、あるとき車で送ってきてくれた地域研究科の助手は、ここは何か凄い人たちが住んでいる感じですねと云った。

村松剛は、若奥さんの運転する車で大学に通い、時折私も同乗させてもらったが、話題はいつも国家防衛のことで、当時は私はまだその方面に関与していなかったので聞くいっぽうだった。日本に天皇がおられるのは本当にありがたいことですと、ぽつりと云ったりする。「これでも僕は、日本を守る国民会議のメンバーですから」と誇らしげに聞かされた。そのときにはまさか、私自身が、のちに日本会議として生まれ替わるその憂国団体の中枢に入ろうとは思ってもみないことだった。

村松剛と私の人生は、クロスすることはあったが、並走にまでは至らなかった。二人の間にはある本質的相違点があったからであろう。それはあるとき、私が彼に「村松さんにとってミスティシスムとは何ですか」と問い、しばらく待つもこれに返事がなかったことのうちに表れた何かだったかもしれない。その本質的な何かが、結局、湯浅・竹本ラインから切り離して大橋・村松ラインを形成させていったもののように思われる。

確執

フランスからコルドバ会議の立役者の二人が来るということで、「筑波派（ツクビスト）」は張り切った。東京と筑波の間で何度も準備会が開かれた。しかし、筑波派はもう一枚岩ではなかった。湯浅・竹本組は大橋・村松組に完全にお株を奪われた格好だった。

それにしても芸能山城組の総組頭、大橋力の実行力たるや大したものだった。山城組のハッピを着て太鼓を叩きながら筑波大学のキャンパスを練り歩く学生組員の群れは、「筑波を穢してやれ」とわめきたてる学内の反体制派の横暴に対して、なかなかに有効なカウンター・パンチともみえた。

貧乏教師とは桁違いの村松剛のライフスタイルにも、こちら側は目を丸くした。女性秘書を擁する麴町の彼のマンションを訪ねたときなど、その豪華さに湯浅泰雄は、これは並の教授の生活じゃありませんなと舌を巻いた。壁に架かったパスキンの少女像を見て私は、あ、あれは一緒にパリに行ったときに買った何百万円かのしろものだなと気づいたが、素知らぬ振りをした。要は、男の甲斐性といったものである。むかし、どこかの村松城の城主の血を引くというこの貴公子の内ポケットには、高級クラブ「プレイボーイ」のゴールドカードが忍ばせてあることをも知っていた。これがあれば日本中どの店でもフリーパスだよとご本人から見せられたことがある。「学者はすべからく清貧であるべし」と畢生の名著『哲学の誕生』にまで書いた老賢人湯浅泰雄に語ったなら、目を回したのではなかろうか。

その目は、しかし、すでにもうだいぶ回りかけていた。その年の三月十五日の日記にはこう書かれている。こんどは麹町の私邸ではなかったが――

「竹本、村松両氏と筑波サロンなる大学近くの家に赴く。ただの家の如しが、中はしゃれた広い洋間。村松氏、怪人二十面相のアジトみたいだ」

ちょっとしたモンテ・クリスト伯の隠れ家に紛れこんだ田舎紳士なみに驚いている。いったい、シンポジウムの金をどこから引き出してくるのかについて、われわれにはまだ皆目算段がついていなかった。「気になるので、一応、村松氏に連絡」と日記はしたためている。「氏は平然たるかんじ。えらいものなり（?）」と啞然としながら首をかしげている。

どうやら役者が違うらしい。

世は挙げてバブルの全盛期だった。向こう側は、おそらくもう金づるを握っている。でなければ、村松剛がすでにパリ往復したはずがない。だが、このまま突っ走っていいのだろうか。事、志と違う結果となりはしないか。楽観主義の私の胸にも不安が頭をもたげてきた。ましてや哲学者の顔はなお険しさを増してきた。そんななか、パリの客人は到来した。

目に見えず、時系列の中で運命というものは成就されていくらしい。五月十日の歓迎会の前日、「湯浅日記」は「丸山君の博士論文をよみ始む」と記している。それまで《コルドバ2》とはまったく無関係だった東洋思想研究の若手ホープ、丸山敏秋氏が、これこそ深い因縁のなせるわざか、やがて湯浅教官の紹介で私の面前に現れてセカンドしてくれる成りゆきになろうとは、これまた不思議な暗合であった。

オリヴィエの一行の来日を皮切りとして、フランス文化放送の一団がやってきた。手始めに、赤坂東急ホテルで、フランス文化放送の敏腕ディレクターにして私とは旧知の作家、ミシェル・カズナーヴ君と、われわれ筑波準備側との間で下打ち合わせが始まった。カズナーヴ君は、初来日にあたり、恋女房——愛妻というのでは足りない——のシャンタルを伴ってきていた。こちらは、湯浅、大橋と、私の三人が立ち会った。ところが、「話が十分かみあわない」と湯浅日記でぼやかれる結末となる。互いに、相手について格別の先見もない初会のはずなのに、早くも陰極どうしの火花が散った。

どこがどうというわけでもない。大橋講師のほうは、得意の自家製「科学と精神世界」マトリクスを持ち出して図解を始めたが、《コルドバ》プランナーは憮然としている。これはまずいなと、通訳しながら私は思った。

カズナーヴも大橋も、一見、似たタイプである。どちらも細身で、浅黒い。もっとも、カズナーヴのほうは、フランス人なら半時も経てば気づくような「ノルマリアン」（パリ高等師範学校出身者）独特の洗練された繊細さの持主で、かつ華麗で雄弁の文体の作家でありながら、生き身の人間のほうは至って言葉数が少なく、見ようによっては至って無愛想である。ライバルのオリヴィエ君が「トレ・フランセ」（フランス人気質まるだし）の愛嬌のよさそのものであるのと正反対に、にこりともしない。これには、したたかな山城組総組頭も攻めあぐねた恰好だった。軽薄なほど弁の立つ、そしていつぐさりと噛みつくか分からない牙を隠した優雅な蛇が、だんだんと苛ついてくるのを私は感じていた。

実際は、ネオ唯物主義的な大橋イズムは、パリにメッセンジャーとして飛んだ村松剛によってフランス側に伝えられ、痛烈なカウンターパンチを喰わされていたのだが、完全にかやの外に置かれた湯浅・竹本にはぜんぜん知らされていなかったのである。

異種の昆虫どうしが出遭って、互いに長いアンテナを出して異種族であることを確かめ合うような時間が過ぎた。しかし、両人、どこが噛み合わないのか、表面には出てこない。互いにそんなことは素知らぬ顔をして、次回に本格的会合を持つこととし、夕刻となったので歓迎会場のほうへと移動した。

赤坂の会席料理、辻留で、フランス文化放送のイヴ・ジェギュ局長とカズナーヴ夫妻を迎えた。日本側は、福田信之学長のほか、西武の堤清二社長、東大の科学哲学者、村上陽一郎教授をはじめ十人ばかりで、顔ぶれからして大橋講師の力の入れかたが知れた。イヴ・ジェギュ放送局長が訪日したのも初めてである。ずんぐりした小背のこの地味な男が、原点《コルドバ》を打ちあげただけでなく、そもそもフランスのメディア改革の陣頭指揮者であることを知る日本人は、私以外には皆無であった。挨拶も人柄にふさわしい謙虚なものだった。粋を凝らした日本間で、大いに畏敬を払った接待ながら、特に《コルドバからツクバへ》と盛りあがるような雰囲気はなかった。

六日後、カズナーヴとの会合が再開された。前回と同じく午後三時から、こんどは四谷に、大橋力、小田晋、村上陽一郎、湯浅泰雄と私が集まった。ここで大橋とカズナーヴの対立が顕わとなった。山城組の親分は、なぜか最初から不機嫌だった。「棲み分けまで出来ないとなると……」と彼はすごんだ。が、なぜ、棲み分けできないというのだろう。フランス側は、何も拒否の姿勢を示していないというのに。相変わらず、われわれにはその裏は見えなかった。大橋力は、ひとり吠えた。良いときは良いが、悪くなると、その筋の人間のようにがらりと態度を変える癖(へき)が露呈した。ところが、いっぽう、カズナーヴのほうは、そのスタイルは長い付き合いから私だけが熟知していたのだが、見かけは華奢にみえても、どんな荒れる局面になっても梃子(てこ)でもゆずらない硬派ときている。このときにも眉毛一本動かすでもなかった。相手に云わせるだけ云わせておいて、最後に一言、静かにこう云った。

「東洋の大義(コーズ)のためです」

一本、という感じだった。

湯浅泰雄は大きなおつむで頷いて、

「東洋の大義(コーズ)のためと云っているじゃないの」

と割って入り、それで幕引きとなった。

延々二時間もの論議の間、他のだれひとりとして殆ど口を挟む余地もなく、大橋力の独演会の観があった。湯浅泰雄は、けげんな面持ちで、「なんで怒っているのか分かりませんね」と私に洩らしたが、それはみんなの気持を代弁するものだった。終始、大橋力は喧嘩ごしだったからだ。

こうした光景を、カズナーヴ君の恋女房、麗しのシャンタルが、黙々と見ていたが、終会後にぽつんと私に云った一言が胸を衝いた。

「セ・デュール！」（厳しいのね）と。


この段階で明らかとなったことは、フランス側が一枚巌であるのにひきかえ、日本側はばらばらだということだった。

それでも、その段階では、呉越同舟ながら、筑波派(ツクビスト)は、企画実現に闘志を燃やしているという点ではまだ共通点があった。空中分解が待っていると感じた者はいなかった。その証拠に、あんな一幕のあとなのに、いやそのために却って賑やかに、一同、市ヶ谷のイタリア料理屋「マンマ」へと座を替えて夕食を共にした。村松剛も加わった。イヴ・ジェギュはすでに帰国していた。カズナーヴ夫妻は言葉寡なに主賓の座にあった。私にとってはそれが麗人シャンタルの見納めとなった。数年後、癌で他界したからだ。カズナーヴは、長男をトリスタンと命名したほどの熱烈な「イゾルデ」礼讃者である。私は、もう十年も前に、日本帰国の前夜、パリのヴォージラール街のカズナーヴ邸で、「一角獣と貴婦人」のタピスリーの架かったサロンで夫妻が盛大な送別宴を張ってくれた友情を忘れたことがなかった。のちに恋女房シャンタルを失ってカズナーヴは、自己喪失に陥ったと伝えられた。美しきもの見し人は、はや死の手にぞ囚われつ、であろうか。人前をもはばからず、シャンタルを抱きしめては「ジュ・テーム」を繰りかえす彼の熱情には周囲はほとほと閉口させられたものだったが、すべては、死によって明かとなった。

しかし、これは後の話で、シンポジウムそのものとは何の関係もない。物の具の鳴るような食器の音をあとに、イタリア料理屋を出ると、一同はカズナーヴ夫妻に別れを告げ、「状況分析のため」麹町の村松邸に向かった。パスキンの少女像のもとで暫く懇談した。イヴ・ジェギュについて村松剛が「一介のラジオ局長……」というのを私は聞きとがめて註釈しなければならなかった。ド・ゴール、マルローのもとでメディア改革をやったヒーローなんですよ、と。

釈然としない思いのまま、一同、豪邸を辞した。

深閑とした屋敷町に、音もなく雨が降っていた。車が滑り寄ってくる。ハンドルを握る忍者スタイルの美女の脇に、悄然と疲れた感じの山城組の親分が乗り、うしろに湯浅博士と私が乗った。最寄りの駅でわれわれ二人は降りた。湯浅は母堂の住むという三鷹へと向かい、私は「松見の森」の巣に向かって。

「湯浅日記」の次の件は、この光景を予見していたのだろうか。

夢。

竹本、大橋両氏と、しきりに会議のことを論じている。やがて、音楽がひびく。山城組がやっているような感じ。夢の中で、また眠り、夢の中で目が覚める。

かたわらに女性がいるかんじ。そのうち、両氏と、帰りましょうということになり、車にのる。走り出すと、車が石段を少しずつ降りていくのに驚く。そのうち車が地を蹴るようにして空へとび出す。びっくりしているが、不安感はない。滑走して着地するのか、と思っていると、運転手が少しぬれるよと言う。何事ならんと思うに、やがて下方に城の濠がみえ、滑走するようにして水中に入り、そのますうーっと浅瀬から岸にのり上げ、傷ひとつない。

不思議なおどろきの情とともに眼がさめる。

これはどうも、来年の国際会議の成りゆきを予知しているのではないかと感じ、記しおく。

ここに語られた、石段を転げる車の最終ステージにわれわれはいたのだろうか。そこでは、濠の水をくぐってから最後に車は空へと飛翔していく。だが、そのときは、そんな日が来るとは到底思えなかった。

筑波に帰ってからも、六月初め、筑波派は、毎日のように虚しく集会を繰りかえした。湯浅泰雄は、家を集会場所に提供したり、学長副学長会議に出て情況説明したりとおおわらわだった。六月八日の日記には、居住まいを正したようにこう書かれている。

「いよいよ、成否の別れ目にさしかかった感じ……」

口には出さずとも、われわれ二人は同じ幻滅を味わっていた。

何のための奔走であろうか。

フランス側と、大橋・村松側と、湯浅・竹本側と、三方、もはや別々の言語を語っている。フランス側は、しかし、西洋思考独自のある種の直線的明晰さを持っていた。少なくとも、「東洋の大義」というカズナーヴの一語に集約されるように、東西文明の対話の方向に持っていきたいという期待を明確化して。しかし、二度目の日仏準備会で、これに対する我が方からの確たる応答はなかった。いや、哲学者湯浅は大いに弁じたかったのであろうけれども、「神の生物学」の信奉者、大橋力の独演会のようなものとなり、これに対して寿老人の口がもぐもぐとしている間に掛け合いは終わってしまったのだった。

もっとも、無理からぬ点もあった。我が方の暗黙の一つの拠り所、「超心理学」は、禁じ手として、端(はな)から封じられてしまっていたからだ。すでにフランスでは、《コルドバ》会議は超心理学を導入したということで旧体制派から猛反撃を喰らっていた。左翼陣営の広告塔、ル・モンド紙が、事もあろうにイヴ・ジェギュ局長を「フランスのヒトラー」とまで書き立て、これに怒り心頭に発したジェギュは反論を同紙に発表して、激戦が展開されていたのである。

来日したジェギュ氏から、私は、クギを刺されてさえいた。

「タダオ、超心理学(パラサイコロジー)だけは止めてくれよ」と。

「スプーン曲げ」、とんでもないということである。

もちろん、湯浅泰雄にとっても私にとっても、事はそんな単純なものではなかった。しかし、「別世界に電報を打つことは可能か?」というアインシュタイン的問いの中に物理学と形而上学をむすぶ領域を感知し、さらにそれを神々の次元にまでむすぶことは可能かと問うことで、途方もない知的冒険に乗り出そうとしていた点において、湯浅と私は盟友だったのである。この場合、超心理学は、最低限の許容ジャンルという共通認識の上に、われわれは立っていた。ところが、フランス側は、これをタブーとする手を先に打ってきた。そしてやがて東大の村上陽一郎教授から、同じ理由から脱退したいという宣言文を私は突きつけられようとしていた。

夢枕に老子

絶望の淵瀬に立って心底から祈るとき、それに答える声が彼岸から返るということは本当にあるのだろうか。心理的な自己の分身ではなく、自己に属さざる超越世界から——?

科学の名において見えない世界に橋を架けたいと望み、失墜の人生の中でひたすらそのことを楽しみに生きてきたが、仲間内の分裂から計画が空中分解するような危機に立って、かつてないほど真剣に私は心中で祈っていたらしい。手を合わせるでもない。どんな名号を唱えるでもない。ただ殺風景な筑波の「トーチカ」の中で、六月の夜半、眠りの中で、こんな問いを発していた。

「いったい、私の徴(しるし)は何ですか」と。

「徴」という言葉が夢寐(むび)にも思わず出ていた。それを頼りに生きられるような何か旗印のような明証が欲しかったのだ。

眠りながらそう願ったのだが、すると一人の神々しい老人が枕辺に立った。見事な白ひげを垂らしている。と、次の瞬間、私は、一本の道路の端の、みすぼらしい家の前に佇んでいた。その家の背後に一本の枯れ木があって、家はそこに寄りかかって危なっかしげに立っている。ひょろひょろした真っ黒な枯れ木だが、みるみるそれは緑したたるばかりの葉をいっぱいにつけた巨木に変わっていった。そして見上げる私の目に、家を覆い、空を覆うばかりに聳え立っているのだった。

そのときである――くだんの老人が一つの記号を私に示し、「これがそなたの徴じゃよ」と云って消え失せたのは。それは、こんな形象だった。

中

目覚めて、床中で、しばらくは狐につままれたような思いでいた。これまで何十となく予知夢の類を見てきたし、その的確度には我ながら驚かされてきたが、覚めての石頭はつねに理知的で、「何だ、そんなもの」と最初は一蹴してしまうことの繰りかえしだった。度しがたい懐疑主義というほかはない。そのときも、いったんは幻想として片付けようとした。「中」という字の、二本目の横線の内側だけが切れている。只の判じ物のようで、これが「徴」だと云われてもぴんとこない。

しかし、何かが気になった。

それは、無意識ながら、我が必死の願いにこたえて見知らぬ老翁が顕れ、何かを示してくれたという事実である。

私にはもう、後がなかった。存在理由は失われようとしていた。その思いは湯浅博士も同じだったであろう。この夢をいつ見たか、日付は私のノートには記されていない。だが、「湯浅日記」に「いよいよ、成否の別れ目にさしかかった感じがする」と書かれた「六月八日」（一九八三年）ごろだったことは確かである。

ところで、この夢には続きがあった。このほうは私のノートにも記載があって、第一の夢から数日後——「六月十二日」のことだった。その日の夜、老翁はふたたび枕辺に立った。こんどは、私は、墓地にいた。並ぶ墓石を指さして翁は「これは官僚の墓だ」というのだった。私は苦しい思いで質問した。

「あなたの示してくださった徴の意味が分かりません……」

すると、一篇の漢詩が眼前に現れた。

私は読んだ。そして目が覚めた。思い起こそうとした。七文字ずつ四行から成り立っていたから、唐詩で有名な七言絶句の形式らしい。しかし、すべて霧のごとく消え、かろうじて思い出せたのは、初句の七文字中の最後の三文字のみだった。それは次のようであった。

夷方中

闇の中に目覚めると、葡萄の種のように口中にこの三文字が載っていた。

「夷方中」——変な言葉だなというのが第一印象だった。

一つの謎を解く鍵としてあたえられたのが、また別の謎である。「夷」という字は、特に奇妙に感じた。「えびす」、「えみし」、「えぞ」などという読みしか思い浮かばない。つまり、蛮族といった程度の意味だ。「征夷大将軍」などという。

「トーチカ」の畳敷きの二階の寝室で、いつのまにか起き上がってしまった。窓の外は月が照っている。街灯が点り、その向こうに村松邸の入口が見える。襖を開けて書斎に出た。夢遊病者のようにふらふらと歩いて、二、三列並んだスティール製の本棚から何気なく一冊の本を抜き取って開いた。

と、

「視れども見えず、これを名づけて夷という」

という言葉が目に飛びこんできた。

ええっとばかり、眠気が吹っ飛んだ。

あわてて、その行の前後に視線を走らせると、老子の言葉とある。「視れども見えず。

これを名づけて夷という」——と。

そしてこの言葉に註して、

「夷とは、境界領域の外の見えない世界のことである」

と書かれている。

いったいこれは何の本だと表紙を見ると、C・G・ユング＝パウリ共著／河合隼雄・村上陽一郎共訳『自然現象と心の構造——非因果的連関の原理』、海鳴社刊、とある。有名な「シンクロニシティ」論だ。買ってはいたが、まだ熟読していなかった。

さあ、えらいことになってきた。しばらくその本を立ったまま読みふけるうちに、夏至に近い夜は明けやすく、ガラス張りの窓の向こうが白んできた。

外は、最初の夢の中でのように一本の道路に面し、その向こうは公園になっている。人家はない。第一の夢の中で、家は道路の中に入りこんだように立っていた。

夜明けを待ちかねて、湯浅邸に駆けこんだ。息せき切って、これこれしかじかと語った。大きなおつむで、ふむふむと聞きおわると、哲学者はひとこと答えた。

「《夷方中》——《夷(イ)、方(マサ)ニ中(アタ)ル》と読むんでしょうな」

「夷とは見えない世界なりと老子は述べ、ユングはこれを境界領域と註していますね」

と私は急きこんだ。「見えない世界が、これからまさに見えてくる、こう告げようとしたものと受けとっていいでしょうか」

陽子夫人の淹れてくれた茶をすする口唇が微笑している。さあ、と考えるふうに見えた。その落ち着きがまどろこしい感じがして、私は畳みかけた。

「先生は、先生が翻訳なさったユングの『黄金の華の秘密』の解説の中で、この本は、書かれたものではなく、道士、呂太公が顕現して口授したものであると仰っておられますね。歴史上、繰りかえしいろいろの人に顕現したり、扶乩で自動書記されたりしたものを纏めたものである、と。老子の名で纏められた『老子』も、似たようなものではありませんか」

「そうです」

「とすると、《夷方中》を啓示してくれたのは誰？ということになるのでしょうか」

用心ぶかく私は尋ね、老子の名を出すことはつつしんだ。

ややあって、哲学者は答えた。

「竹本さんの体験の中で興味深いのは、自立した超越世界はあるということを感知させられたことです。ここのところを、ユングは、意味のある偶然の一致ということでシンクロニシティと名づけたが、その奥は深い……」

お互いに出勤の時間が近づいてきたので、会話はここで途切れた。

湯浅博士にとってこの事件は何ほどの重要性をも持たなかったのであろうか。日記には一言もそのことは触れられていない。

しかし、私にとっては決定的な意味を持つものだった。必死に、夢うつつに、自分の運命……すなわち、《コルドバ2》の企画の成りゆきについて尋ねた。言葉ではなく、「徴」で示してほしい、と。これに対して白ひげの老翁が顕れ、あの奇妙な「中」の字を示された。その意味が分からないというと、今度は二度目の夢で「夷方中」の三文字を呈された。これも分からないまま一冊の本を開くと「夷」とは「見えない世界」であると記されてあり、しかもそう語る人は、老子――その人なのであった。

そして「夷方中」とは、「夷(イ)、方(マサ)ニ中(アタ)ル」と、湯浅泰雄により、訓読がほどこされた。「見えない世界が、いままさに見えようとしている」と。とすれば、これは、われわれにとって吉兆、大吉兆ということではあるまいか。

第一の夢の、枯れ木がみるみる緑したたる巨木となった光景も、これ以上の瑞兆はないように思われた。それに、私の場合、すでに述べたように、ある夢が正夢となるとき、ほとんど常に「カラー版」であるという保証も付いているのだ。

もっとも、いうまでもなく、この種の夢体験はまったく主観的性質のものにすぎない。湯浅博士ほどの方でも、特別にそれに関心を払う様子はなかった。私は軽い失望を覚えないではなかった。「シンクロニシティ」は、ユンギアン湯浅自身の一生の大テーマであったはずだが。

謎は、しかし、事実そのものによって自証されようとしていた。

「夷方中」の夢告を得たのは、繰りかえせば、一九八三年六月十二日である。そのわずか六日後、「六月十八日」に、信じがたい出来事によって情況は一気に好転するに至るからである。

京セラ社長稲盛和夫氏

変化はまったく意外なところからやってきた。

その日、湯浅泰雄博士に誘われて、東京駅近くの国際観光ホテルに向かった。ある夕食会が行われる。そこで筑波の企画のことを持ち出してみたいから一緒に来ないかというのである。

その夕食会とは、京セラの稲盛社長の主催で、本山博師が来賓として招かれているのだという。本山博といえば、日本超心理学会の会長であることのほか、湯浅家とは由縁浅からぬ間柄と聞かされていた。湯浅泰雄の父君、真生（まさお）は、ひとのみち教団の指導者として法難に遭ったあと、以後、人生いかに生くべきかに踏み迷っていたとき、霊能者、本山キヌエと出遭って魂の救済を得たのだという。その令息が本山博で、玉光神社の初代宮司をつとめ、やはり霊能者として著名であるとか。よく「前世」をも見るらしい。東京教育大学哲学科出身（下村寅太郎に師事）で、湯浅泰雄とは同年（一九二五年）の生まれながら、湯浅の側では、本山師に対して、自分の父の救済者としての恩義からであろう、はなはだ謙虚に師事する姿勢を崩さなかった。そのため一部の人々から不審の念を抱かれることとさえ寡くなかった。学問的業績の上からは湯浅の方が比べものにならないほど大きいので、事情を知らない人々の中には「湯浅先生は本山さんに対して、へりくだりすぎる」と思うらしく、「湯浅先生は本山さんに対して、ていんで頭が上がらない」と露骨に眉をひそめる向きもあったほどである。私自身はといえば、湯浅泰雄のそのような恭謙な姿勢については、むしろ父君への厚い孝心の表れと感じて、かえって尊敬の念の彌増（いやま）す思いであったが。外から見れば、学問的客観性の上から偏向を示唆されても仕方のない面はたしかにあったであろう。

国際観光ホテルで、長い食卓の片隅にわれわれ二人は腰を下ろした。向かい合って十数名ずつ、居流れている。向かい側は京セラの重鎮らしい。中央に、目鏡をかけた、つややかな血色の男性が坐っている。私よりやや若い、五十代の歳かっこうの。それが天下の京セラの稲盛和夫社長を初めて目にした瞬間だった。

印象的なのは、これほどの人々が、まるで法王のお出ましでも待ち受けるように、しわぶき一つ立てず、威儀を正して、待ち受けていることだった。私は、これがどういう会なのか、ろくろく知りもせず、一種異様な雰囲気に気押されていると、やがて左手奥の入口から一人の六十がらみの男性が悠然と入ってきた。そこには、間合いを計算して、云い替えれば勿体をつけて物々しく入場といった演出が感じられなくもなかったが、瞬間、一座に緊張が走った。登場人物の、ふっくらとした顔が赤銅色で、どう見てもインド人にしかみえないことに、私はひどく印象づけられた。輪廻転生を見る人と聞かされていたが、自身、インド人の生まれ替わりではなかろうかと思われるほど。

あとでこの感想を湯浅泰雄に洩らすと、「そうなんですよ」と応じられたから、誰もが抱く印象だったに相違ない。

ともかく、ベンチャー企業の雄として天下を騒がせつつある京セラの稲盛軍団をこれほどまでに恐懼せしめる尊師とは、いったい如何なる人物かと、無知なる自分の好奇心はつのるいっぽうであった。あとで分かったが、それもそのはず、稲盛社長は篤く玉光神社を崇敬し、本山師を会社経営の内なる導師として仰いでいる間柄だったのである。

さて、晩餐会もデザートコースに入ったところ、湯浅泰雄が呼ばれて中央のテーブルに近づいたが、微笑しながら戻ってくると、こう私に云った。

「本山先生から稲盛社長に紹介されまして、シンポジウムのことをお話ししたところ、そんなことを考えつくのは誰か仕掛人がおるんだろうと云われたので、あの隅に坐っている鬚をはやした人がそうですと返事しておきましたよ」

鬚も無駄ではない。出番きたるかと思った。

食後、本山師と稲盛社長に紹介を受けた。どういう企画か伺いましょうかという申し出に、胸を踊らせて一緒に食堂を出た。本山師とは別れ、社長と一、二の側近に従ってわれわれはエレベーターに乗った。何階かまで昇る間の数秒に、直観人は賭けた。

「物質界と精神界に橋を架ける国際会議を開きたいと願っております……」

返事は間髪を容れなかった。

「面白い。部屋でお話を伺いましょう」

三十分後、「お助けしましょう」の力強い一言を胸に、湯浅泰雄と私は頬を紅潮させて、その部屋を辞した。

運命の転機が訪れたことは確かだった。といっても、すぐに事態が好転するほど事は簡単ではなかったが。湯浅泰雄が夢に見た、石段を転がり落ちる「車」のハンドルは、依然、大橋・村松側の手に握られたままだったからだ。

強力な切り札がこちらの手に入った。だがそれはタブーの領域に触れるものであり、逆に我が方のピンチが強まったことをも意味していた。

神、われにありと、私共は謝することもできたであろう。だが、覚悟してそれには贄(にえ)を供えなければならなかった。われわれは、とてつもなく高価な買い物をしようとしていた。それにはそれに見合った代償を支払わなくてはならない。血が流れよう。われわれは、妥協ではなく、決戦に臨んでいるのだった。

第四章　「夷方中」――第一の夢告

「ツクバ丸」の同床異夢

突然の天下の「京セラ」の介入は、向こう側にとっては青天の霹靂であったようだ。その分だけ、こちらがうかうかしている間に、大橋・村松陣営には、チェスの詰めのような構図がちゃんと仕上がっていたということになる。その構図とは、あとで分かったことだが、電通を使って巨額予算を組み、本来の目的である《コルドバ2》会議をもっと大振りに仕立てるということだった。野心そのものは、大いにけっこう。ただし、別方向に走り出すのであれば話はぜんぜん別だった。

湯浅泰雄と私が稲盛社長と出会ってからわずか一週間後に、村松剛が抜け駆けに京セラに出向いたと聞いてわれわれは驚愕した。支援額を確かめに行ったらしい。それはかくかくしかじかの金額と報告するのを聞いて、湯浅は私以上にショックを隠しきれない様子だった。無理もない。湯浅あっての京セラの筋だったのに、そんなものは完全に無視されていたのだから。しかし、依然としてわれわれには皆目見当がつかなかった。

フランス側の意向を再確認する必要が生じた。そこで今度は私自身がパリに行き、フランス文化放送のスタッフと会ってきた。シンポジウム開催の期日は、ここから、翌一九八四年十一月と決まった。コルドバからツクバまで、丸五年——である。

こうした迂余曲折の末、「ツクバ丸」は、ようやく進水式に臨むかにみえた。だが、一艘の舟に二つの梶(かじ)を付けた恰好である。そこから転覆の危機が生じたのはけだし当然の結果だった。そのヤマ場は半年後に来ようとしていた。

「ベンチャー企業」の雄として令名高い稲盛和夫氏が、人間的に、まず、いかに図抜けた賢者であるかが、まもなくわれわれの目にも見えてきた。人智では乗りきれない幾多の試練を乗りきるために、氏は尋常ならざる叡智を必要としていたのであろう。それが玉光神社から来ようと、どこから来ようと、余人にはかかわりのないことである。小林秀雄ではないが、人は己の信じたいように信ずる。そして、越えた世界を信ずることによって己自身を越える。およそ偉人と呼ばれる人はみな、そうである。

稲盛社長の中でまず私を打ったものは、この信ずることの強さであった。「お助けしましょう」と云われたとき、それは何よりも本山博師の紹介のおかげにほかならないものではあったが、根底にこの信がなければありえないことであった。

加えて、物質の尖端は物質ではなく精神に接しているのだということを、尖端企業のトップランナーであるこの方からわれわれは学びつつあった。

「エクセレント・カンパニー」という京セラ哲学が世間に広がりはじめたころだった。

さながら見えない世界と絶えず接することでそこから創造の実利を引き出してくるかのごとき奇蹟的才腕に、私は魅きつけられずにいなかった。同じ見えない世界に橋をかけるのでも、象牙の塔で私共がもたついている間に、この方は既に実世界で悠々とそこを渡っているではないか。そして企業という形のもとに、何十何百万人という社員とその家族を現実に養っているではないか……

これほどの人物の人間的超越性の機微に触れることなく、ただのスポンサーとして欲得の上から袖にすがるとすれば、それは大きな誤まりというものであろう。「ベンチャー」とは「アドベンチャー」の略語である。冒険、賭け、投機を意味する。大博打を打つとなれば常識をこえて見抜く目が必要とされる。湯浅泰雄や私が状況を把握できずにもたついている間に、稲盛社長は、「第三の目」をもってそれを見抜いていた。そして賭けに勝つための切り札を用意していた。同じ「ツクバ丸」の乗組員ながら、同床異夢を見ているのだと、賢者の目をもって見抜いていたのである。二つの舵取りで船が進むはずはないのに、実際われわれは何をしようとしていたのであろうか。

私自身は、性来の楽天家であるうえに、ひそかに一夜のあの夢告を信じたい気分になっていた。あのとき、第一の夢で、「中」の徴が示されるとともに、廃屋のかたわらの一本の枯木がみるみる緑したたる巨木に変じていったではないか……

しかし、「憂い顔の騎士」、哲学者湯浅泰雄にとっては、そう呑気に構えてはいられない内情があるようだった。日に日にその陰鬱な表情は暗さを増していった。湯浅自身はそれを祖父以来の憂鬱症の遺伝と信じていたらしい。だが私の目には、それ以外にも、フロイト的にいえば、無意識的抑圧に原因があると思われてならなかった。隠された現実によって賢人は病んでいたのだ。そして、いまや、それをいちばんよく知る人間は、おそらく世界中に私以外になかった。

己に背くことで、人は病となる。本来ならば、「デウス・エクス・マキーナ」（機械仕掛の神）的な稲盛社長の出現によって、湯浅泰雄は愁眉を開いてしかるべきところだった。しかるに彼の身に表れた徴候は逆だったのである。

そのころ、湯浅と私は、まるで恋人のように毎日たがいに行き来する間柄だった。そんな中で日に日に彼の目がとげとげしく不気味に光っていくさまを半ば恐怖をもってこちらは見守っていた。のちに、「当時は死ぬことばかり考えていました」と述懐されることとなる。

しかし、もし、かの日記を書き遺してくれなかったら、そこのところの内面は永遠に謎のままに残ったことであろう。稲盛社長との出会いのあった時から二ヶ月後、八月のある日、湯浅泰雄は網膜剝離の手術を受けに大学病院に入った。「精神的な孤独」にとらわれてこう書いている。

……どうも身体の機能の変化が、このごろいちじるしい。せめて平均年令の75才ぐらいまで、仕事をして死にたいものだが、それがダメなら、身体がダメになって生き永らえるのは困りもの。何もせずに生きている時間というのは辛いだろう。仕事ができなくなる前に生命を終った方がよいような気がする。

湯浅泰雄について私は尊敬をこめて老賢人と呼んだが、実際にはこの日記の記述のときでさえ五十八歳であったにすぎない。八十歳で逝去するまで、まだ二十二年の寿命があった。しかも、「何もせずに生きている時間」を拒否する姿勢を、すでに明瞭にそこに打ち出している。最後は、自宅で転倒し、寿老人型のおつむを打ったことで亡くなった。重力的死……。だが、全集十八巻をも数える「仕事」を仕遂げてからの死で、本懐はとげられたと見るべきではなかろうか。
日記の少し先の日付のところで湯浅自身、こう書いている。
「死すべきときに死に得ることは、大きな幸せの一つである」

本懐とは、自身にとって如何なるものかについても、日記は続いてこう記している。

今望むのは、大学院大学（本山先生の）設立、精神科学財団（京セラ）の仕事などの基礎をつくること、研究の方で、超心理学の学問的地位の確立、東洋思想の哲学的意味を世界的見地から再評価することである。これからせめて十年ほどの間に、これらの点について自分なりの仕事ができれば、安心して死を迎えられるだろうが……

文字どおり十年の大計としてここに掲げられた四つの目標とは、その大半が「本山先生」との関係事項であることに印象づけられる。その一つ、「大学院大学」は、現実に本山博を学長として一九九一年にカリフォルニア人間科学大学院として設立を見るに至る。「精神科学財団（京セラ）」とあるのは、もう少しでわれわれはそれにかかわらせてもらうところだった。当時、稲盛社長は「稲盛賞」を構想中で、物心両界に「橋」をかける私どものプランに大賛成だったところから、全部で四部門の稲盛賞の一つを継続的にこれの実施に充ててもいいとまで云ってくれていた。ところが、後述するごとき筑波勢への不信感からそれは打ち切られてしまった。「稲盛賞」は「京都賞」と名を変えて稲盛財団によって実現され、その「思想・芸術」部門に初期のわれわれの夢は、辛くも残影を留めている。

ともあれ、わが夢告による「夷」――見えない世界――は、容易に見えてこなかった。本山博師のお蔭で、その扉は開くかにみえた。扉の向こうに、湯浅泰雄のいう「神さま」があった。それは湯浅の父を救った絶対なるものであった。そのために湯浅・本山両氏の関係は、前者が後者を「本山先生」と奉って呼べば、後者は前者を「湯浅君」と呼び捨てにするような奇妙な――少くとも外目には――ものだった。行道においては湯浅はヨガ行者として著名な本山師に師事し、一九七九年に『チャクラ』なる共著を出版してもいた。しかし、学問的には湯浅は本山師の足らざるところを黙々として補っている感があった。ただ、それにも限界があり、無理があることは明かだった。私自身、一度だけ、井之頭公園の玉光神社に詣でて奇異の感を受けたことがある。神社――現在でも「心霊スポット」として知られる――は、同じ建物内に「日本超心理学研究所」と看板を出した施設と隣り合わせになっていて、ほかならぬ本山師は、烏帽子(えぼし)をかぶって向こうの鳥居の下に出てくれば宮司、こっちの入口から白衣を着て出てくれば研究所長という二役を使い分けていた。それそのものが悪いということはない。むしろ、ある意味で、理想的かもしれない。科学者として本山師は「気」の経絡測定器「AMI」の開発者だったが、それを怪しむ声もあった。それもいい。ただ、同研究所で頒布されていた冊子を私が買って読んでみると、測定結果を神異で説明し、神異を測定結果で説明するメソッドは、どう見てもメヴィウスの輪の堂々めぐりのごとく思われたものだった。

というわけで、本山師を《コルドバ2》の国際会議に引き入れることは、わが陣営が爆弾をかかえこむことにほかならなかった。

しかし、私は覚悟していた。われわれは「非合理」を主役とする新科学を目ざしている。とすれば、剣の刃渡りは当然である、と。ただし、本山師の参加という風聞が流れるや、相手陣営は硬化した。それを見て湯浅泰雄はなおこだわった。

「僕は、本山先生が参加できないようなら、このシンポジウムに興味はありませんよ」とまで云い切るのを聞いて、さすがに私は驚いた。そこまでの思い入れなのか……

もちろん、本山師を徐外するようなことになれば、師を尊崇する稲盛社長も退くであろう。そうなれば我が陣営が総崩れとなることは明らかだ。だが、湯浅のこだわりは、飽くまでも内的理由からであった。日記に繰りかえし書かれているように、彼は「神さまに叱られ」ていたのである。

師の霊言を取りつぐのは、一つ屋根の下に起居する陽子夫人である。私も、巫女さん姿の夫人に一度だけ玉光神社で会ったことがある。浄衣に緋袴といういでたちで現れた女性は、ここが本当の我が宿というふうに生き生きとしてみえた。いつも哲学者のもとで、ざんばら髪で、白粉気（おしろいけ）ひとつなく控え目にしている姿とは、別人の観があった。参拝のさいに私の納めたお初穂料に対して、只今は有難うございましたと平伏して礼を述べられたが、その様子は、常人にはまねできない腰から直角に折り曲げる式の姿勢で、さすが堂に入ったものと感心させられた。これでは老賢人もたじたじであろうと、変な同情をおぼえたものである。

いや、実際に、右眼の手術で入院したさいに湯浅泰雄は、こういう手厳しい言葉を奥さんから聞かされてさえいた。

「神さまに従おうとしないなら、目は見えなくともよかろう。眼に病気をいただいたのは、神さまに従おうとしないからだ」

ここまで云われては、普通なら何をと云い返すところであろう。ところが、そこが偉いところで、哲学者は素直にこう応じているのである。

「たしかに、医学的にいえば、ストレスということになるのだが、信仰的にみれば、家内のいう通りだと痛感する」

九月七日付の日記にはさらに続いてこうある。

「家内が毎回のように、お宮の手伝いに心がけることは、わが家のカルマを浄めるための努力として感謝しなくてはならない。それは私にとって、また、母や弟にとって、――つまり、この家にとっての救いの種を蒔くことである、と思われる。妻に感謝」まさに、脱帽である。このあと、過去二十年来の学者としての自分の仕事に何らかの価値ありとすれば、それは「神の御心に従ったときにのみ生きるであろう」といった自省の言葉が、なおも連綿と続いていく。

右の引用で、「この家」という言葉が注意を引く。「ヒポコンデリー」（心気症）は湯浅家の血筋であると記している。立ち入ったことを私は聞けなかったが、三鷹に住む「母や弟」もそれを病んでいたようで、そのことがまた湯浅の心にいつも重くのしかかっていた。「カルマ」とさえ云っている。湯浅泰雄は、自らそれを病みつつその淵源を突き止めようとする科学者だった。精神分析が必要なのはまず精神分析医自身ですよと、あるとき云われた言葉がよみがえる。その辿る道は、従って、たえず神と分析との二又道で、その岐路に立つことに哲学者は疲弊し、そこに真の病因はあったのではないかと思われる。

日記の同じ日付には、右の引用に先立ってノイローゼの血筋についての長い記述がある。（「湯浅日記」は第一級の内省録としての価値をもつものであり、世に知られることを意識して書かれたふしがある）。まず、祖父も父も六十歳で他界したこと、父の場合は死の二、三年前から精神的危機に陥ったと述べ、「父の生涯は失敗であった」と云い切っている。しかし「信仰はつらぬいた。私はどうか」と厳しく反省する。

もし私のカルマが、祖父や父とある共通したパターンをもつとすれば、私にとってこれからの二、三年は一つの危機であるかもしれない。病気はしばしば、精神的危機の兆候であることは事実だ。

私の運命はおそらく、宗教的真理について、考え、語ることを命じられているところにある、という気がする。これはまずまちがいない運命だ。しかし、私の中の何かが、その運命に抵抗し、喜ばないでいるところがある。心霊とか、信仰とか、奇異といった事柄について語ることは、学界（アカデミズム）や知識人の世界から白眼視されることであるとか、そういった恐れが、私をためらわせる理由の一つになってきたことは否定できない。

しかし、それだけなのか。どうもそれだけではないという気がする。そこには、

「神に対するわがまま」ともいうべき心理が、私の心の底の方に動いているように思われる。神の世界、心霊の世界が存在することはたしかだとしても、それを明らかにすることが果して学問的に可能なのか、知性の抵抗を神は押し切れるのか、といった疑い、といってもいいかもしれない。

この最後の疑問こそは、私が共有するところであった。自分も、「心霊」とか「奇異」といった事柄にとりつかれ、またそれを追ってここまでやってきた。だが、「インテレクテュアルス」としての自分の生きかたは、それらの実相を見極めるというよりも、ただの「知性の抵抗」に陥っているということはなかったか。それが証拠に、シンポジウムの準備そのものがあらぬ方向に逸れつつあるのでは……

この深刻な告白を読んで私がいちばん感ずることは、ここに書かれているジレンマそのものではない。（それが書かれた時から、このページを執筆しつつある二〇一六年二月現在まで、ちょうど三十三年と七ヶ月経った）。なぜその時期に、大病を患うほどのジレンマに湯浅泰雄が陥ったのかという真の理由についてである。

真の、と云ったのでは僭越かもしれない。少なくとも隠れたというか、湯浅自身が気づいていないらしい理由というべきか。ユング派心理学の大家でありながら、おそらくそこには、分析的意識にのぼらざる蔭の原因があった。そしてそのことがこの物語とも深いかかわりを持っていると思われる。

　告白の最後のフレーズに表われたとおり、湯浅の内的苦悩の中心は「神」への橋をかけることへの哲学的――「学問的」――可能性への根本疑にあった。もちろん、こうした懐疑そのものは新しくも何ともなく、永遠の哲学的命題にほかならぬ。『パンセ』の中心的命題である「信仰」と「懐疑主義（ピロニスム）」の相剋、またそれを断ち切るパスカル的「賭け」の行為を思い起こせば十分であろう。湯浅の場合には、さらに祖父以来のノイローゼ体質がその危機感を強めた。それは、生命をも危くする甚大な性質のものであった。苦難の日々は、筑波大学病院で目の手術を受けた一九八三年八月五日から、日本医大で鬱病が癒えて退院する十一月二十六日までの、実に三ヶ月と二十日間もの長きにわたっている。その間、彼は「死ぬことばかり考えていた」。しかも、精神の病から救ったものは、皮肉にも「薬」の力であった。

　三ヶ月余の大患の理由としては、前述のごとく、われわれの望むのとは反対方向に会議の準備工作が進みつつあることに彼の下意識が苦しんでいたことがあったのではなかろうか。船は、望んだように水源に遡るのではなく、下流に押し流されようとしていた。「神」への橋がかりを求めるのではなく、逆にその橋脚を打ち壊す工作に、われわれは力を貸している感があった。

稲盛財団の援助によって船は座礁をまぬがれ、希望の航海へと向かうかにみえた。が、舵(かじ)は別の手に握られてしまっていた。船首は別方向に転じられつつあった。成りゆき上、湯浅も私も、それを知りつつこの転針に従わざるをえない潮目に立たされていた。《知性の抵抗を神は押し切れるのか》と哲学者が投げた大きな疑問のゆえんは、望まずして自分が「知性の抵抗」に加担する恐しい役割を演じつつあると知っていたからではあるまいか。


無上の同志にして誇るべき先達、湯浅博士が倒れたことにより、本来あるべき《コルドバからツクバへ》の架橋構築は、ずしり、私個人の肩にのしかかってきた。単独で何度か準備会に出席したが、そこで耳にする京セラへの風当たりは強かった。あるとき、村松剛が、西武の堤清二社長から聞かされたという「木曾義仲が暴れているそうだね……」との言葉を伝えると、一座が笑声を立て、私はその冷たさに驚いた。それは、関西財界の雄として旭日昇天の勢いにある稲盛社長に対する敵意でさえあった。

日記に右のごとく長い内省の辞を綴った九月七日に、湯浅泰雄は、「この二、三ヶ月間が重要」という本山師の霊言を病床に伝えられ、そう聞いただけで鬱病が一気に嵩じてしまった。カルテとカルマの狭(はざ)まに立って、寿老人風の頭上に暗雲は広がるいっぽうだった。

私自身の孤立感、無力感も際限なく深まっていった。

だが、そうした中にあって、まさに「夷」は顕れようとしていたのである。

「筑波の連中の面(つら)つきを見る」

ここから船がさらに下流へとだんだんと押し流され、岩礁に当たって砕け散るかと思われたクライシスの仔細を、これ以上長々と語ることは無用であろう。その間、ドラマの舞台は、筑波大学から帝国ホテルへと移りつつあった。そこで開かれた三度の会議は、「筑波大学」対「京セラ」の、むしろ奇妙な合戦の光景を呈そうとしていた。

十一月一日と二十二日の最初の二度の会合で、すでに火花は散った。

というより、筑波大学側は、芸能山城組の統領のアグレッシブな言動に左右される奇妙な成りゆきとなっていた。陰湿な敵意さえ剝き出しとなって――。

ところが、天下の京セラは、どっこい、そんなことで怯むようなやわではなかったのである。最初は稲盛社長その人は顔を見せなかったが――筑波大側でも湯浅教授は入院中だった――代わって一人の只者ならぬ人物を送りこんできていた。京セラ傘下の「第二電電」社長、森山信吾氏である。

　度の強そうな目鏡をかけ、小背の物静かな中年男は、よほどの胆力の持主であったらしい。なにしろ経産省の資源エネルギー長官であったときに、稲盛社長から引き抜かれたほどの人士である。こんなエピソードが伝わってきていた。森山信吾は競輪狂だったらしい。あるとき、すってんてんに擦（す）ってしまい、自宅に帰る金もなくなってしまった。汽車の線路を何駅か歩いて知人宅に寄り、そこで借金して、また競輪場へ戻り、賭けを続けたという。なにやら萩原徹大使のモンテカルノの武勇伝を思い出させるエピソードだが、見る人から見れば、こういう気骨がモノをいうのであろうか。二年後（一九八五年）に日本政府は遅ればせながら初めて電気通信事業の自由化を実施しようとしていた。稲盛社長はこれを「百年に一度のチャンス」と捉え、一社を興してそれに当たらせるとともに「第二電電」と命名し、その社長に森山信吾を据えたのである。「第二電電」とは絶妙なネーミングということで当時評判になった。ここから後に「ＫＤＤＩ」が生まれてくる。

　森山信吾といえばこれほどの強者（つわもの）であるからして、山城組親分のすごみに怯（ひる）むどころではなかった。手強しと見て大橋力は、さらに強腰に出た。相手側陣営に直接談判を展開するいっぽう、電通に松村剛以下の精鋭を集めて対抗策を練った。京セラ側がいっそう態度を硬化させたことは云うまでもない。きっぱりと、大橋軍団潰滅に打って出たのだ。

三回目の実行委員会は、そんな風雲急の中で開かれた。それは、大学側がスポンサー相手に噛みつくような奇妙な集会となった。十二月十九日、帝国ホテルの会議室に、双方十名くらいずつ出席した。京セラ側は稲盛社長も加わり、筑波大学からは福田信之学長も出席した。退院したばかりの湯浅教授も顔を見せた。ところが、幕を開けてみると、窓側に横一列に並んで見知らぬ数人の男が腰を下ろしている。私は不安を感じたが、そのことを口にする間もなく会議は始まった。大橋力が、用意した予算見積表を配りはじめたからである。

それは数ページにわたるラフ・スケッチだった。ラフもラフ、あちこちブランクだらけの。経費見積り総額は何億円かに昇っていた。プランナーは立ち上がって事業内容を得々と説明しはじめたが、「ちょっと待ってくださいよ」と向かいの席から声が上がった。中央、稲盛社長の左手に坐った森山信吾その人だった。

「ブランクだらけの見積り表で、みな使途不明金じゃないですか」

大橋講師は説明しはじめた。が、しどろもどろで、曖昧さは隠しおおせようもない。

と、稲盛社長が鋭く口を聞いた。

「私どもは、他の大学の国際会議にも幾つもご援助して、一本いくらくらいの予算で出来るか承知しているんですよ。どうして貴学だけ、こんなに高いんですか」

稲盛社長の正面に向き合った福田学長が、窺うように右端の大橋力のほうを見やった。みんな一斉にそちらに首をめぐらせる。私は彼の左手に坐っていたので、なにか自分が一同から責められているような気がした。

「ええと、それは……」

と、さすがの能弁家も口篭もった。

「……電通に相談して、ほかにどんなイベントをやるか決めることになっています……」

言いも終わらず、「第二電電」社長、森山信吾から声が飛んだ。

「だって、相談してと云われるが、こうして……」

と、窓ぎわの得体（えたい）の知れない男たちのほうに顔を向けて突っこんだ。

「もう、こうして、電通の人たちを呼んでしまっているではありませんか！」

沈黙の「メン・イン・ブラック」が巨大広告産業の面々であることを、元エネルギー庁長官は見抜いていたのだった。

当時者相互間の内密会議に、何の前触れもなくメディアを引き入れてしまったことは

――私も知らされていなかった――誰の目にも行きすぎとみえた。村松教授のパリ行きも、そこから金が出ていたのだろう。

一座に不審の空気が流れた。だが、ここで、大橋力は黙って引っこむような玉ではなかった。全員唖然とする一言をこう吐いたのだ。

「そういう狭い了見だから、京セラは、財界仲間から嫌われるんですよ！」

驚くべき捨て台詞だった。

そう聞くや稲盛社長は、頬を紅潮させ、さっと立ち上がった。

一言も発することなく、ドアのほうに歩きはじめる。他の重役の面々がその後に続く。第二電電社長、稲盛財団理事長をはじめ、みな一国一城の主である。

見切りはついた。学長とさえも会釈ひとつ交わすでもなく、一斉に退いていく。

こちらは学長以下、村松剛も、村上和雄も、小田晋も、みな無言。いや、一言半句をも差し挟む余地がなかった。湯浅泰雄も呆然自失の体だ。これはまずい。まずすぎる。

多大な援助を請いながら、最小限度の礼節をさえ欠き、心底は見すかされた。

私は、一団の後を追って、一階に駆け下りた。広いサロンを横切って、正面の回転ドアの手前でようやく稲盛社長に追いついた。

そこで、目と目が合った。

洩れた一言は、こうだった。

「筑波の連中は、どんな面（つら）つきをしているか見てやろうと思ってやってきたが、こんな程度か！」

達人の一喝に、返す言葉もなかった。


紛糾はその後も続いた。

何が何に対立していたのかといえば、いまから思えば、それは結局、見えない世界を認める側と認めない側との対立だったのかもしれない。

「筑波派（ツクビスト）」が臆面もなく恥部をさらけだした、あの帝国ホテルでの決裂のあと、これで三度目の、そして今度こそ真に絶望的な年の瀬を私は迎えようとしていた。そこでまたも「飛騨仙人」に電話をかけた。「内部対立を避けよと大師さまは仰っています」というのが山本健造翁の返事だった。これは、他方、湯浅泰雄がその導師たる本山師から伝えられた霊言とも一致するものだった。十二月二十八日付の「湯浅日記」にはこう記されている。


竹本氏への弘法大師の御助力「内部対立をさけよ」というお言葉を大切にすべし。

哲学者は、目の手術を受けてから、鬱病で長期入院するに先立って、ひそかに高野山に詣でていた。さらに、同じ年の半年前には「弘法大師御遠忌」という小文をある記念論集に寄せている。私もそのころ高野山を訪ねて、宿坊から湯浅に電話したことがある。そもそも《コルドバ2》を発想した当初から、それが叶うのは西暦一九八四年――「弘法大師御遠忌」の時であろうと、真鍋俊照権僧正から予言されていた。その一線に、徐々に近づきつつあったことは確かだった。もはや希望のかけらもなく――。

長い啓示的夢

そして年が明けた。本命の年、一九八四年の――。一月八日、朝六時、一場の長い夢を見た。のちにそれは、事の進展をことごとく照らし出す予知夢だったと知る。次のようだった。

細々と長い道をたどって、私はずっと登ってきたようであった。ようやく山頂らしき処に着く。そこには沢山の昆虫が飛びかっていた。その一匹が背中にぶつかってくる。見ると、蟬だった。そのあたり一帯は平らになった場所で、見回すと、一面、蟬の巣窟である。地面には生まれたばかりの翅の透明なのや、抜殻などが、ごろごろと転がっている。

そこはおそらく禁域であった。つまり、その先へはもう行けない。それまで辿ってきた道もUターンになっている。下り坂の道へ入った。

渓流の流れている風景に出た。おおぜいの人々が散策している。私をめぐって、ちょっとした揉みあいのようなものがあったらしい。「飛騨の今仙人」山本健吉翁が大の字になって、おどけたように地面に寝そべり、人々を笑わせる。

腹がへってくる。(夢でも空腹があるのか)。床几を並べた食堂に入る。真ん中のテーブルが空いているのでそこに坐るが、うしろのテーブルに背中合わせに坐った婆さんが、猿臂(えんぴ)を伸ばして私のテーブルを引き寄せ、それに寄りかかろうとする。その動作を二度三度と繰りかえし、そのつど私のテーブル――長方形でかなり大きい――は斜めに引っぱられるので、ついに私はそこに坐るのをあきらめ、席を蹴って外へ出る。

それからふたたび渓流に出た。その左側の河原をどんどん下っていくと、一人の白人女性と出遭った。どうもその感じが、大学で私の講義を受けているフランス人女性、フランソワーズ・ペロー嬢に似ている。ふと、彼女は、左手の、庭石のような一箇の青っぽい巨巌をゆびさして、その表面を這っている一匹の蟻に注意をうながして、何事か素晴らしい思想を滔々と語り出す。（あまりにもそれが感動的なので、目が覚めてから熱心に思い出そうとしたが無駄だった）。巨巌と蟻と、その関係が全てであるといったような事柄で、どうも宇宙と人間の関係を譬えているように感じる。

いつのまにか、彼女と入れ替わって、フランス文化放送のイヴ・ジェギュ局長が私と連れ立っている。私は彼に云った。

「あるとき、あなたは、団欒の席でこうおっしゃいましたね。われわれはみんな、結局のところ、何も分からずに死んでしまうんだよと。そう云ったときのあなたの自嘲的な微笑までよく覚えていますよ。しかし私はこう思うんですよ。われわれは何かを知ることができる。だが、その先に、さらに起こることが問題なのではありませんか」

「そうかもしれない」

と、イヴ・ジェギュは答えた。

そのあと、道はいよいよ下り坂になり、やがてどこまでもうねりながら続く石段になった。そこを、いつのまにか私は、五、六歳の頃の自分の息子を両腕にかかえて、宙に浮くように飛び降りていく。まるで、空中飛行のように。しかし、一段々々と適確に、踏みはずすことなく――。

夢はそこまでだった。

全体にわたって幸福感につつまれ、それは途中のいざこざにもかかわらず最後に階段を一段ずつ下りていく間じゅう続いていた。

時が時とて、この夢は私に深い印象をあたえた。その後、それを思い出させるような幾つもの出来事が起こった。最後のほうでイヴ・ジェギュ局長と対話している場面はその一つである。実際に起こったことは、こうだ。それから十ヶ月後、ついに国際シンポジウム《科学・技術と精神世界》を実現し、それが終わって、成田空港に参加者を見送りに行ったときに、みんなが出発ゲートの中に入ってしまったあとにまで、イヴ・ジェギュと私だけは残って、その柵のところで云い合いをしたのである。

「何で、あんなに云ったのに、超心理学(パラサイコロジー)をやったんだ!」

と彼は嚙みついた。

《コルドバ・シンポジウム》が「超心理学」を導入したことでジェギュは、つとに、ル・モンド紙に「フランスのヒットラー」とまで書き立てられていた。激怒したジェギュは反論を投じ、筑波ではやるなよと私に釘をさしていたほどだから、無理もない。しかし、わが陣営にとっては、それは、不可避的なことだった。なにしろ、日本超心理学会会長、本山博師の恩顧に浴しての発足だったのだ。本山先生を入れられないなら僕は辞めるよとまで私は湯浅教授から聞かされていた。そして、そんな内情をおくびにも出すわけにいかない立場に立っていた。

「あのとき、君と喧嘩（クレル）したなあ……」

翌年の夏、もはや想い出となった筑波会議を偲んで、シャンゼリゼーのレストラン、フーケでカンパリ・ソーダを飲みながら、にやりと笑ってイヴ・ジェギュは云ったものである。そして一言つけくわえた。

「タダオ、だが僕は君を怨んでなどいないよ」

「僕も怨んでなんかいないよ、イヴ」

こうして一件は落着、いや祝着したのであるが、あの夢を見たときにはまだそれどころではなかった。

そこでは、現実と超現実が混在していた。食堂で変な「婆さん」から二度三度突っかかられるところは、三たび実行委員会――「テーブル」――が荒れたところとそっくりだ。しかし、山頂で昆虫の飛びかう場面は、いささかも現実的ではない。現実の果て、彼岸との境界線であろう。「蟬の巣窟」と、目覚めてのノートに私はしたためている。生まれたばかりの、透明な翅の蟬をも見た。脱皮したばかりの姿か。ということは、転生ではあるまいか。道はそこまでで、その先は禁域となっていた。私は「Uターン」しなければならなかった。山頂の、その平らな場所こそは、境界領域、夷界、異界の始まりだったのであろう。そこから先が、「死後」の世界といったものかどうかは、分からない。

山頂へ着くまでに辿ってきた細長い道、またそこから踵（くびす）を回らして下っていく道は、ずっと渓流に沿っていた。いのちの継続する現実界なのであろう。ただし、岐路は、往路と同じではない。渓流に沿って別の道へと下りながら、すでに旅人は、「見た」ことによって何らかの変容をとげている。

死のリハーサルの？　それとも不死の？　それは分からない。しかし、ある種の夢が持つ秘義伝授的な意義は、じゅうぶんそこに感じとれる。そのような夢の役割を、ひそかに私は「夢秘伝」と呼んできた。どこから、誰が授ける秘伝かは分からない。時には、あの「老子」かもしれない。「ロジエー」の薔薇を差し出したインド女性も、その一人だったのかも。いずれにせよ、秘伝であることだけは疑いようがない。

夢の後段で「フランソワーズ・ペロー嬢」が登場するのは、夢とはいえ、味なことだった。筑波大学の芸術学群で彼女は日本の「オリガミ」にインスピレートされて、学位論文を準備中だった。その発想が振るっていた。デイヴィッド・ボームの「暗在系」理論にもとづいて思いついたというのである。

興味深いのは、一匹の蟻が巨巌に這っている様子をゆびさしてフランソワーズがそれを人間と宇宙の関係に譬え、滔々と論じたことである。「蚊子（ぶんし）の鉄牛に登れるがごとし」と道元が『正法眼蔵』で述べたのは、これであろうか。蟻にとっては宇宙は一次元でしかありえない。人間にとっても同じようなものかもしれない。見えない次元は存在しないのではない。おそらく、ただ折りこまれているだけなのだ——オリガミのように。

夢で、あの巨巌は美しい緑苔（りょくたい）の色をしていた。「碧巖」、「華厳」のひそみであろうか。何度も書くように、わが夢で色つきは、正夢なのである。とすれば、いかなる実在を伝えようとしたものであろうか。

引導

ともあれ、年頭にこの夢を見て以来、状況は急速に好転していった。

まず、四人の副学長中の最有力者、松浦副学長が稲盛社長と会談した。どんな話し合いが行われたかは、すぐそのあとで察しがついた。直後、大橋・村松両人とともに私は副学長から呼び出されたからである。老賢人湯浅泰雄が舌を巻いたほど村松剛の「頭の回転は早い」。風見鶏さながらに状況の変化を察知した。「いまや京セラの実力は侮りがたい」と云い出したからである。こう聞いて、大橋講師は、「おや?」というような表情をした。梯子をはずされたと感じたのであろう。ついこの間まで、稲盛社長をさして「木曾義仲」呼ばわりしていたのは誰だったか……

京セラ株式会社の援助一本でやるか、他社の援助も容れて水増し予算で行くか。この点、京セラの態度は断固一貫している。ついに山城組総組頭が折れた。彼はゲーム機製作のナムコ社からも同額支援をすでに取りつけていたようで、引っこみがつかなくなったらしい。ついに松浦副学長と私が大井町のナムコ社にまで出向いて援助辞退を申し入れなければ収拾がつかないこととなった。「ナムコ」の名は、自分の流浪時代に一年間はまったインベーダー・ゲームの機械で見覚えがあったから、奇妙な縁だなと思った。会ってみると社長は気さくな、叩きあげの感じのする人だった。「そうですか、素晴らしい企画なので、ぜひお助けしたいと思っていたのに残念ですな」と、本当に口惜しそうな顔をした。カネを出してくださいというのではなく、出すというのにお断りに行くというのも、考えてみればずいぶんと贅沢な話だ。世はバブルの真っ盛りであった。大橋力は、梯子をはずされ、屋根に取り残された恰好となった。が、纏いはまだ握ったままだ。火の粉が降ってきた。が、依然、「ツクバ丸」の梶はその手に握られている。問題は解決したわけではない。空気は却って緊迫している。が、そのような時に、偶然はよく動くらしい。一日、用事があって私は東京に出た。虎ノ門で地下鉄に乗ろうとして、路上から階段を下りかけた。すると、下から昇ってくる「第二電電」社長、森山信吾氏——正式就任の前年だった——と目が合った。「やあ、先生、ちょうどご連絡しようと思っていたところです」と声をかけられる。立ち留ると、階段の上がりはなでこう云われた。「京セラでは、湯浅・竹本のお二人がやられるならご援助します。ほかの方がやるならご援助は致しません……」

これは大変な引導役を振り当てられたと思った。なるほど、こういう具合に物事は運んでいくものか。

翌日、重い気分で私は松浦副学長の前に出た。筑波大学の四人の副学長の中で同氏は次期学長に擬せられていた。一段大きな部屋に陣取って睨みをきかせている。京セラの趣旨を伝えると、あらかじめそのことは先日の稲盛社長との会談で因果を含められていたのであろう、あっさりとこう答えた。

「大橋君も男だ。あれだけの仕事をやっているんだから、そのくらいのことは分かるだろう」

云うが早いか、自ら卓上の受話器をとってダイヤルを回した。私は湯浅泰雄の沈鬱な顔を思い浮かべていた。哲学者は相変らず悲観的だった。退院したのに、鬱病が再発したかのように目はとげとげしさを加え、日々、ぞっとするような別人の観を呈していた。そして物に憑かれたように、「神さまにおすがりしなくてはいけない」と繰りかえすのだった。幸か不幸か、俺はこの大先生ほど信心ぶかくない、おかげで倒れないでいる――そんな罰あたりのことを胸につぶやいた。山城組の親分の姿が廊下から現れたとき、こう考えさえした。これで巧く行かなければ本当にあの先生は発狂するかもしれないな――。

すべてはこれからいう一言にかかっている……。こう意を決して、「第二電電」社長の言葉をそのままに伝えた。

浅黒い細面の表情はびくりともしなかった。ひとこと、

「自分が至らなかったのですから、責任を取ります」

と云うなり、さっと席を立って廊下に出た。それが彼を見た最後となった。程なく「山城組」の印半纏（しるしばんてん）も、潮の引き上げるようにキャンパスから消えた。

時に一九八四年一月十八日——あの蟬の飛びかう山頂の夢を見てからちょうど十日目であった。

副学長室を辞した足で湯浅教授の研究室に寄って報告した。「ユング全集」原典を置いた仕事机の前に坐った哲学者の唇からは、ぽつりとこう洩れただけだった。

「ほう、そこまで行きましたか」

人ごとめいた反応に、私はちょっと拍子抜けがした。

それは投げやりのようでもあり、達観の境地のようでもあった。三年もの歳月の虚しい紛争、足掻き、停滞、そういったすべてを要約した吐息のようにも聞こえた。私は言葉を継いだ。

「サイコロはまだ転がっていて、確定した目は出ていません。これからが大変ですから。それに、精神世界の出来事に大勝利ということはありえないように思います。すれすれのところで勝てばいいんです。勝利と、それが呼びうるかどうかも、明らかではないのではないでしょうか。むしろ、コンプレメンタリーといったところなのかも……」

寿老人のおつむが大きく頷いた。

釈迦に説法のようなものだった。「コンプレメンタリー」（相補的）も、ユング的概念からの借り物だ。反対物との対立ではなく、足して一となるような世界にわれわれは生きている。

しかし、話している間に、湯浅泰雄の表情に徐々に生色が甦ってきた。「十一月のシンポジウム開催までに、あと十ヶ月しかありませんな」という。「そうです」と応じて私は云った。「フランス側では、私どもの内情を知らず、着々と準備は進んでいるものと思っているんですから。先生が実行委員会の会長、私が事務局長という結束で事を急がねばなりません。事務局は私の研究室に置くとして、誰か有能な右腕が必要ですが」

と云い終わるや、

「一人います」

と返事が返ってきた。

「丸山敏秋君といって、僕が論文審査の副査をつとめた院生です」

そう云いながら、早くも受話器に手が伸びる。

丸山敏秋とは、初めて聞く名だった。

「あ、丸山君、実はね……」

声にようやく抑揚が戻ってきた。次の講義がありますからと云いつつ立ちあがって、思った。鬱病はこれで直る、と。

第五章　本願

雨引観音の尼御前

低い山並みを背景に、一面の雪景色の中をのろのろと走るマッチ箱。そんな電車から無人駅で降りると、人っ子一人みえない野道を私は歩きはじめた。凍てついた二月の早朝の路面を、滑らないように怖々と。

雨引観音まで、三キロの道は遠い。

雪道によろめく歩行が、過ぎた三年間の泥沼の中での足掻きに重なってくる。

背後に昇る朝日の斜光に、時折、小雪が舞い駈ける。右前方に、二つこぶの筑波山の稜線が墨絵のようにみえる。滑る凍土で私は喘いだ。ようやくかなたに寺院の甍がみえてきた。

松枝清顕が、月修寺の山門まで、瀕死の身を何度も引きずっていった姿はどんなだったかと、あらぬ空想が掠める。『春の雪』の、あの恋する青年には、少なくとも、髪を下ろした聡子に一目でも会いたいという純粋さがあった。いま俺には、どんな聡子がいるのだろう。

前日に起こったささやかな暗合がきっかけだった。筑波の並木町の自宅から土浦へ出るタクシーに乗ると、ふと思いつきで、茨城県で有名な観音さまは何ですかと運転手に尋ねた。月に二度、水戸のカルチャー・センターでの講義を引き受けたところで、そこに向かう途中だった。その日は「ヴィーナスと豊玉姫」というテーマでの講義予定だったので、話の枕に知っておきたいといった程度の軽い気持だった。ところが、「それは雨引観音でさあ。美智子妃殿下も安産祈願でお詣りしましたよ」と聞かされて心が動いた。水戸で常磐線を降り、行きつけの古書店に入った。と、すぐ右手の棚に、『観音巡礼——板東札所めぐり』という本があるではないか。手にとって目次を繰ると、鎌倉、相模野、比企、武蔵野……という霊場ごとの章立てになっている。はらりと、あるページが開いた。栞の紐が挟まっている。そこは、「常陸」の章で、「第二十四番札所、雨引山楽法寺」とあった。まるで私が手にとるのを待っていたかのようだ。

これはぜひ行かねばと感じた。それも、すぐに——。かくては、夜明けを待って、筑波鉄道へと急いだのだった。

さすが、古くは光明皇后も参拝されたという由緒ふかい寺である。本堂の前で凍えた手を合わせ、如意輪堂へと上る石段の昇り口までさしかかった。右手に小さな納経所が目についた。雨戸は固く閉じられている。見ていると、それが内側から開いた。と、軒端にしなだれた笹の葉からはらはらと雪が散り、その玉すだれの向こうに、たおやかな一人の尼僧が姿を現した。

年の頃は四十がらみであろうか。この寒さのなか、頭巾もかぶらず、剃りたてのようにおつむは青々としている。未明の勤行を済ませてきたためか、頬を赤く染め、吸い寄せるような澄んだ瞳で、まあというようにこちらを見た。

「冬中、ここは立て切っておりましたので」と申し訳のようにいう。「今年になっていま初めてこうして開けたところで、あなたが最初の参詣者です」

正座して尼僧は合掌する。縁先に立ったまま、こちらも拝を返した。すると、声を低め、ずばり彼女はこう云ったのだった。

「私は、自殺まで思いつめておりました身です……」

すわ、聡子か――。

「そのような人生から、一転して、道を求める生きかたに入りました。女ながらに荒行を重ね、高野山で得度を受けました……」

まるで冬中、聞き手の到来を待ち受けていたかのように一気にしゃべる。

「灌頂(かんじょう)のさい、目隠しをとると、あらかじめ観想したとおりの光景がそこに現出したのです。こうして、ここ雨引に、女として初めて迎え入れられたのでございます……」
初対面というのに、人生の機微をなぜこうもすらすらと打ち明けられるものであろうか。いや、求道の烈しさは、いかにして煩悩の火に焼きつくされることに打ち克ったのか。「自殺」の理由が、かりに綾小路聡子と同じ恋の淵瀬から来たものだったとして――。

法衣の線の固さにつつまれた、まだふくよかな女体は、清顕との道行きの馬車に降りかかる淡雪ぐらい、軽く溶かしたことであろう。一瞬、数珠をかけた左手首の奥に剃刀傷の跡を見たような気がして、私は慌てて目をそらした。

聞きながら、さっきから気になっていた尼僧の後方の絵へと、視線はしきりと引きつけられる。そこに、大型の見事な一幅の観音像が架かっている。雨引観音の本尊を模したものか。型のごとく左手に一輪の蓮の華を捻じた姿で。その前に坐した尼御前と、絵の間に視線が行き来する間に、忘れもしないあの「ロジエー！」の夢の幻像が浮かびあがってきた。心の動きを察したように尼僧は、「なにか……」と言問いたげに後ろを見やり、それにつれて「実は……」と私は口を開いた。こんどはこちらが語る番だった。

話を聴き終わるや、彼女は、「まあ、不思議なことです」と応じた。「私のもとに、最近、一枚の絵が送られてまいりまして、それが、あなたさまの見たという幻とそっくりなんです。その絵を送ってきた方はイギリス人なんですが、絵の作者はインド人ということでした。あなたの夢では、顕れたインドの女性が薔薇をかざしたというのですね。私の戴いた絵は観音さまなのですが、手にした花が、蓮華にしてはおかしいんです。いまのお話を伺って分かりました。きっと薔薇なんでしょう。それにしても不思議です。この絵の意味は何でしょうと思っていたときに、さっそくその願いが叶えられたんですものね」

そして語調を変えて、こう云った。

「いまでは私は、すべては御徴（みしるし）だと思っています。願っていれば、かならず御徴は与えられるのです。私はそれを辿っていけばいいのだと悟りました」

ぽつりと、付け加えた。

「あなたは、よほど修行を積んだお方に違いありません」

「失礼ながら、お名前は何と……」

「金子公栄と申します」

その善女と遭ったのは、それきりだった。

笹雪に縁どられた軒下での、わずかな立ち話。

だが、実世界を離れた、希薄な空気の中で、かすかに何かが動いた気配がした。「御徴」と、彼女は云った。高野山の得度式で、おそらく、目隠しを取り、散華の瞬間にそれを見たのであろう。点々と、人生をつらぬいて、飛び石のようにそれが導いたのであろう。最後は、八字池の中の夜泊舟(よとまりぶね)に乗って、蓬莱島へと渡るようにと。

いっぽう、私のほうは、何をしてきたのだろうかと思った。薔薇の秘密へと向かわず、反対にそれに背く道へと歩みつつあったのではないか。

陽射しにぬかるみはじめた雪道を、自らの足跡を踏んで、身をこごめてまた辿りはじめた。

気の合戦

石の上にも三年の日々を長々と書きすぎただろうか。

その結果、ついに筑波で実った国際シンポジウム《科学・技術と精神世界》そのものについては、ここでいまさら学術的に記す必要はあるまい。一九八四年十一月六日から十日にかけて正味五日間にわたって会議は開催され、その全容は湯浅・竹本編の報告書で世に伝えたとおりである。

それに、あれから三十三年余の年月が経ったいま、前述の「気」についての反省に見るように、私にとっては自ずと問題再見のアングルは異なってきている。会議の準備に足掻いた期間中、いかに目にみえない壮大な宇宙的なものに、取るにたらない「個」がかかわったかを顧みることのほうが、会議の内容に劣らず重要となっている。そのために、こうしてここで回想している。アカデミズムの華——それが壮麗に咲き出るかげに、どれほどの内なる陰花が人知れず咲いては散り、散っては咲くことか。

これらの個的陰花は、外目にはみえない。外に現れるものは、科学の世界では、セオリーであり、客観、反覆、結果である。それらは、「ファクト」の大海に埋もれている。そこに、宇宙物理学から分子生物学に至る諸学のエキスパートたちが、凌ぎをけずって何百本という命題の河流をそそぎこむ白熱の光景を、われわれは筑波大学の国際会議場でとっくりと打ち眺めた。発言者だけではない。稲盛社長以下、京セラの子会社の社長諸氏が、ずらりと場内の第一列の桟敷に陣取って、初日の幕が開くや、全員、きっと、筆記具を手に身がまえたさまは、さすが凄味があった。ソニー創始者の井深大会長も、稲盛社長の紹介で協力を吝しまなかったが、初日に登壇し、一席滔々と弁じた。

多彩な演題は、フランスからのある取材記者の表現をかりれば「生唾ごっくんのエキサイティングな内容」であった。

1

2

1984年、著者52歳、見えない世界に橋を架ける——科学的に——妄想凝って、筑波大学で国際シンポジウム「科学・技術と精神世界」を企画実現——

1.　先にコルドバで画期的「科学と意識」国際会議を打ち上げたフランス国営文化放送と、これと提携した筑波大との、各ポスター。

2.　会議開催に先立って全参加者が明治神宮に参拝。前列中央、仏大使アンドレ・ロス、左手、権宮司副島廣之、右端、コルドバの立役者、イヴ・ジェギュなどの各氏。最後列左端、著者。その右隣、作家ミシェル・ランバム。

3

4

5

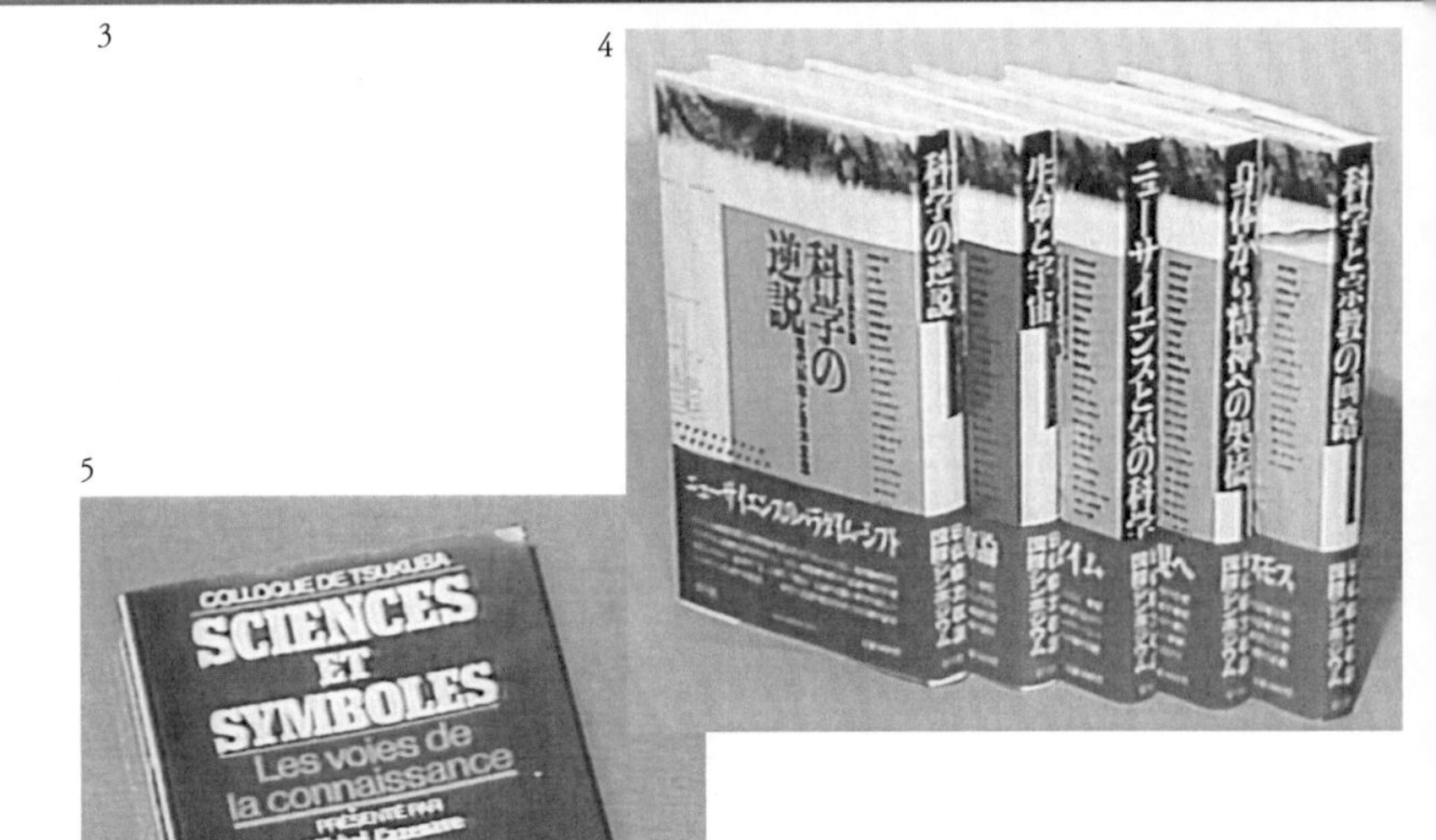

3.　筑波大学大学会館で、白熱の学際的討議を5日間連続挙行(150頁)。
4-5.　全討議内容を日仏間で出版。

レオン・メルカデという著名ジャーナリストの記事が「気の合戦」と題されていたように、われわれが仕掛けた《気》の仕掛けはどうやら功を奏して、論議を喚起したまではよかったものの、西洋人側は一様に警戒感を示した。殊に、会期中日の三日目に、パフォーマンスとして青木宏之師範による新体道の「遠当の術」を入れたために、碧眼論客の間に不安と動揺が走り、真意は那辺にありやと大騒ぎになった。タケモトが仕掛人だということで私は壇上に引っぱりあげられて、弁明させられた。マルローの「気＝内的実在論」を持ち出すにはいよいよ遠い雰囲気となってしまった。

火種は、その前日、「気とサイ・エネルギー」と題する本山博師の発表ですでに点じられていた。しかし、「気」の問題提起そのものが、西洋人側にとっては、そもそも不明瞭だったのだ。加えて、気の実在を経路上の電位差の測定で証明するというような方法は、コルドバ以後の「暗在系」宇宙観と比べて、次元がまったく違いすぎた。「サイ」(psi) の一語をめぐる「超心理学」的立場は、再々述べたように、フランス側にとってはスキャンダルそのものだった。「この会議は間違った方向に進んでいる」との声さえ壇上で飛んだ。これは日本側からの参加者である石川光男教授（国際基督教大学、分子生物学者）からだったが、向こう側の大半の反応を代弁するものだった。ベルギーの生物学者でプリゴジンの協力者であるステンガース女史は、懐疑派の先頭に立った。会期中に会議を誹謗する記事を本国に書き送り、それがこっちにも伝わってきた。これを見て、日本霊性文化の心酔者であり、わが年来の友でもあるミシェル・ランドム君は激怒して、「何だ、あの女は！」と叫んだ。向こう側陣営にも亀裂が走ったのだ。私は自分の不用意を実感した。

かくては、前記のごとく、フランス側主宰者代表のイヴ・ジェギュ局長と私の間の口論となった次第だった。

ただ、あの時点においては、超心理学は、わが陣営の一つの突破口だったことは否定しようがない。それかあらぬか、筑波大学で超心理学の国際会議が開かれるというふうにさえ、一部の人々の間では事前に噂が広がっていたらしい。「宇宙人」と綽名される日本テレビのディレクター、矢追純一から、突然つぎのような電話をもらって、私は絶句したものだった。

「会期中、松見池のまわりで、みんなで手をつないで円陣をつくりませんか。ＵＦＯを呼ぶ番組を作りたいのですが……」

ラジャ・ラオの垂示

もちろん、矢追氏の申し込みは、丁重にお断りした。しかし、いわゆる超能力者と呼ばれる人たちが少からず国際会議場に紛れこんでいたことは事実である。こんな一幕もあった。

それは、初日午後の、ラカン派精神分析学者といわれるパリ大学教授、ミシェル・モントルレ女史が発表を終えたあとのコーヒーブレイクのときだった。(そのあとに湯浅泰雄の「現代科学と東洋的心身論」の発表が控えていた)。「無意識の二つの状態——浮動的と断片的」と題されたモントルレ教授の発表は、抽象的すぎて、分かりにくかった。コーヒーカップを手にした女史と目が合ったので私が会釈すると、にこやかに近づいてこようとした。そのとき、私の右脇にいた一人の日本人青年がこう云ったのである。

「あの人は悪い人です。いや、良い人なんですが、良くなれません。何かがそれを妨げているからですよ」

ミシェル・モントルレは、不審な面持で私の面前にくると、「この若者は何と云っているのですか」と尋ねた。失礼かとも思ったが、隠すわけにもいかないので、正直に私は通訳した。すると、彼女は、さっと顔色を変えた。無礼な、と思ったに相違ない。資料によれば一九三四年生まれとあるから、私より二歳下の、五十歳ほどの年齢であろう。美人ではないが、さすがに洗練された知的魅力を持っている。パリジェンヌには珍しく髪はざんばら風で、しかも右側をふさふさと前に垂らして殆ど右眼を覆っているので、どことなく無気味な感じをあたえないではない。一瞬彼女は、ぎくりとしたようだが、そこは学者らしく、青年に向かってさらにこう訊いた。

「あなたはどうしてそんなことが分かるのですか」

「それは」と青年は憶することなく答える。「あなたの頭の上に、どす黒い雲のようなものが見えるからです」

こう聞くや、女史は驚いて叫んだ。

「実は私には、タイタニック号の難船で死んだ祖父がいます。祖父はこの世に恨みを残し、私のしようとすることをいつも妨害するのです。先ほどの発表で無意識の浮動的状態と名づけたものが、実はそれなのです」

なんだ、それならば、さっきの発表でそう語ればよかったのにと思った。そうすれば論旨はもっとずっと分かりやすくなっただろうに……

しかし、もちろん、そう云わないところが、「科学」である。

科学に「私」はない。「われわれ」しかない。

つまり、個人的経験はない。

モントルレ教授の例はその典型的なものであろう。ちなみに彼女は、あのあと、くだんの青年——四国の在住で私には見覚えがあった——に、「どうしたら祖父の浮動的悪霊を鎮められますか」と問い、「簡単なことです、お祓いをすればいいのです」と聞いて、その日のうちにホテルの自室で除霊を受けたとのことである。

さてそれで果たして怨霊退治にまで至ったかどうかについては、聞きそびれた。

翌日、心なしか、前より晴れやかな顔つきで会議場に現れたところを見ると、おまじないは利いたのかしらんと考えた。会期後の古都散策でも、同行した夫君と手をつないで大いに楽しんでいる様子であった。ともあれ、世界的知名の心理学者が日本で無名のエクソシストの世話になったとは、なかなかもって愉快な一幕ではあった。


「超心理学」は反対でも、「死後」のような彼岸をあなたは否定しますか肯定しますかとアンケートを発せられれば——無記名で——筑波に集結したこれら学者陣の中で正面切って否定する人は少なかったのではなかろうか。

ただし、この種の問題について質問するときは、根本的に注意しなければならない点があると私は考えている。《死後の世界はありますか》と聞くのは、おそらく問題の立てかたそのものが間違っている。野暮というものだ。《UFOはありますか》と聞くのにひとしい。筑波シンポジウムにも参加した有名な宇宙物理学者のユベール・リーヴス博士が、パリのテレビでこのような質問を受けた光景を私は覚えている。寿老人風の頭と鍾馗鬚をもった堂々たる風貌の人で、例の「気の合戦」と呼ばれたフランス側リポートに、「湯浅、リーヴスなど、ずらり壇上に並んだ、これはまた見事な大頭……」と書かれた一人である。このユベール・リーヴスが、あるとき「宇宙人はいると思いますか」とテレビカメラの前で聞かれて答えた返事が見事だった。

「宇宙の星の数は無限大です。その中で生命の存在する恒星の数はこれこれのパーセンテージを占めています。従って、その数もまた無限大です……」

よって、この種の問題においては、答えではなく、問いの前提そのものが問題とならずにはいない。

《彼岸と、この世とは、一続きでしょうか？》——かりにこう聞いたとしたら、どうであろうか。科学者といえども、人間であり、個人でもある。こう聞かれて無下に否定できる人も少ないのではあるまいか。

この点、全参加者中、たった一人、このような問いに対して確たる肯定的思想（ほとんど信念）を抱懐している人物がいることに、私は注目していた。しかもその人は、われわれ日本人以外の唯一の東洋人だった。しかもまた、量子物理学者（テキサス大学名誉教授）であり、小説家だった。インド人のラジャ・ラオ師である。

「師」と呼ぶのがふさわしい。「ラジャ・ラオはグルー（導師）なんですってね」と教えてくれたのは、さすがに消息通の湯浅泰雄だった。なるほど、そういわれてみれば、思いあたるふしがあった。ラジャ・ラオとは、何よりも私にとっては、マルローがある作品中に「わが友（モナミ）、ラジャ・ラオ」と記していることで忘れえざる名であった。マルローがそのように作中で親しげに呼ぶことは珍しい。あるエピソードが『ラザロ』という短篇中で語られている。（同書は『反回想録』の続篇の一部として一九七四年に出版された）。最愛の伴侶、ルイーズに先立たれたあと、マルローは大患に陥り、臨死体験に近い経験を持った。そこから、無事生還後、「わが友（モナミ）、ラジャ・ラオ」から聞かされたという言葉を想起している。当時、マルローは、バングラデシュ独立戦争にさいし、「ベンガル義勇軍」を編成して参戦すべく、パリで待機していた。しかし、インド首相のガンジー夫人（ネールの娘）は、なぜかその実現を阻んでいた。そのためにマルローは「死に場所」を得ず、苦境に立った。そのときに、手を差し伸べたのがラジャ・ラオだったのである。ガンジー翁ともネール首相とも親しかったラジャ・ラオは、マルロー

2

3

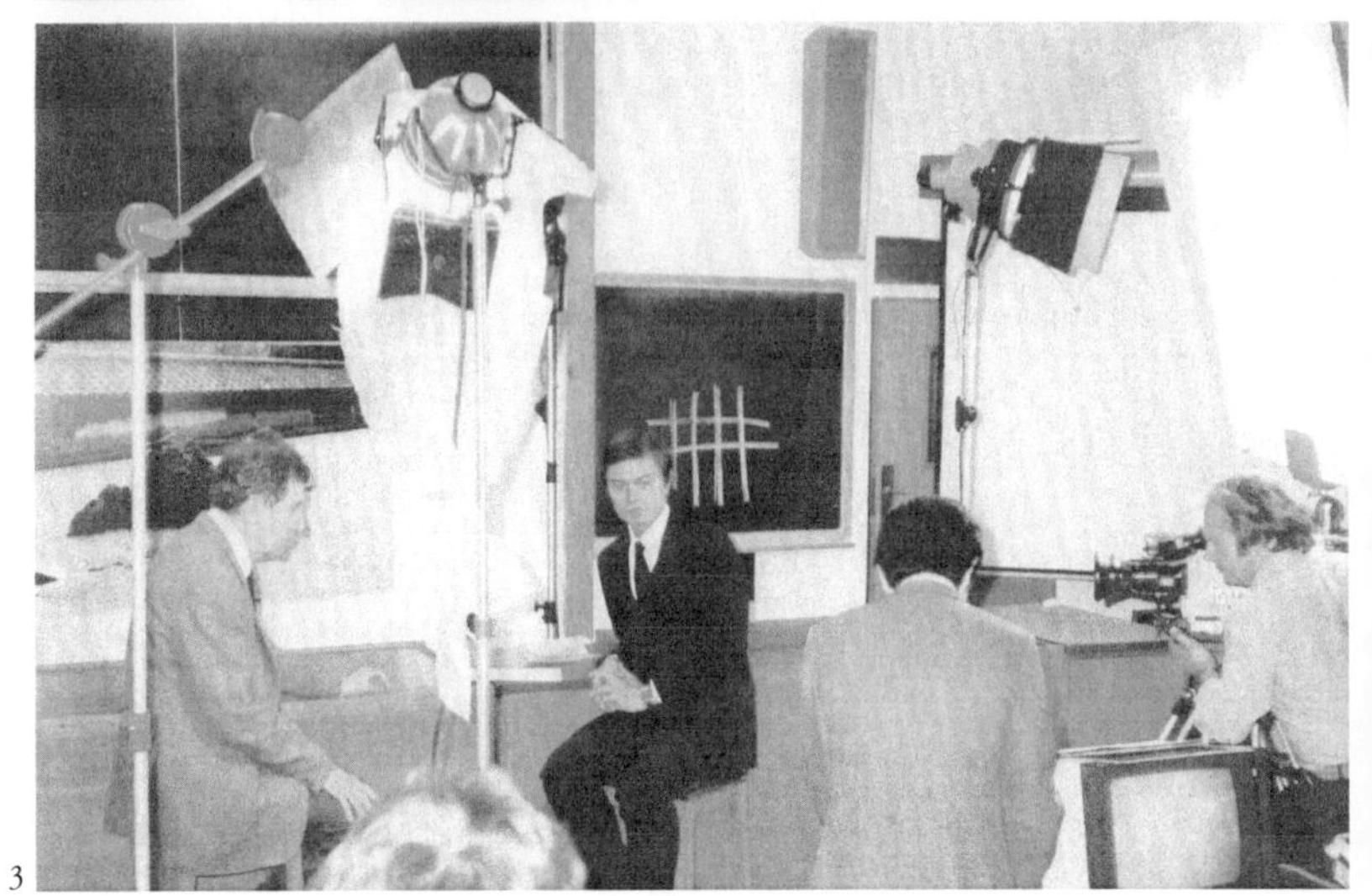

1. 「見よ、宇宙は燃えている！」――「東洋の大義」を体現したインドの哲人ラジャ・ラオの格調高い発表は会場を魅了した（166頁）。
2. 「シヴァ神は踊る、人間の創造した万物を踏み従えて」（A・マルロー）。
3. 「あなたの暗在系理論は竜安寺石庭に表されています」。若き東洋思想研究家、丸山敏秋は、長駆、ロンドン大学にまで最先端物理学者デイヴィッド・ボームを訪ねて指摘し、深い共感を得た。

とネール首相の間の通訳をつとめた間柄だったが、その進言によってガンジー首相はマルローを招聘し、「オノリス・コーザ」（名誉博士）を授けて貢献に酬いたのだった。マルローにとって、ラジャ・ラオはこれほど由縁ふかき「友（アミ）」だった。この飛びきりの人物から聞かされた言葉を、入院中、九死に一生を得たマルローは喚起しているのである。それはこのようであった――

「なぜ西洋人は、生と死の間に、扉をドラマ仕立てにしたがるのですか？」と。

続いて、こう書いている。

わが身に起こった出来事を続いて書きとめておく。インドで我が友ラジャ・ラオから聞かされた言葉である。彼はネールと私の間の会話の通訳をつとめてくれた。

「西洋人は、(彼らだけではありませんが)、いのちと、もう一つのいのち、彼岸との間に、何らかの部屋があり、一方から他方へと移っていくものと信じています。ネ・ス・パ（そうではありませんか）？　なぜ彼らは扉をドラマ仕立てにしたがるんです？　死とは、光への路ですよ……。そのことは、戻ってきたときに分かることです――つまり、死に似た何かから戻ってきたときにね……」

そのように、私自身にも、「わが友（モナミ）」松見守道は、その臨死体験を語ってくれたのだった。

しかし、「臨死」の「死」そのものについて、すでに人は思い違えをしているということを、ラジャ・ラオは教える。「死は光への路ですよ」と。彼はマルローにこう語りつづけた。

私の導師は何時間か三昧境（エクスタシー）に入り、戻ってきました。仏陀は、入寂するよりはるか以前から、寂滅（イリュミナシオン）を体験しました。人は己の死を選ぶことができるのです。

こう翻訳しながら私は、わが師、ジャン・グルニエ教授が少年期に体験した、あの「からっぽ」を思わずにいられない。その死後、グルニエ夫人は、「ジャンがあの状態にあったとき……」と想起して涙ぐんだが、それは何よりもよくそのエクスタシーの本質を表わしていた。

ともあれ、筑波にわれわれが招いたラジャ・ラオとは、そのような、自身、導師（グルー）だった。そして湯浅泰雄を除いてそのことを知る人は稀だった。ただ、こんなことがあった。

そもそもの始まりは、天才的プランナー、フランス文化放送のミシェル・カズナーヴ君の紹介で、ラジャ・ラオがアメリカのテキサス州に在住と聞いて私がシンポジウムにご招待したいと手紙を書いたことにあった。すると、ある日、並木町の拙宅――「トーチカ」――に突然、電話がかかってきた。

「これから行くよ」（アイ・アム・カミング）

と。

参加する、という意味の返事だなと私は受けとった。当然のことに。

ところが、その直後、本当に彼は眼前に顕現したのだった。

土気いろをした、細面の老翁の半身像で、はっきりと見えた。そして実際にラジャ・ラオその人を筑波に迎えたとき、このヴィジョンで見たのと寸分たがわぬ容貌であるのを見てとって私は驚顎を禁じえなかった。

驚顎はしたが、しかし、不思議とは思わなかった。変に、それが自然なのだと納得させられた。

それくらいの超人であったから、ラジャ・ラオは、他のシンポジウムの参加者とはまったく違っていた。会議が蓋をあけると、このインド人は、まったくの「現象的」存在によって際立っていた。誰よりも沈黙で語っていた。時にはスキャンダルに近い動揺を周囲に引き起こしたほどに。

――「科学者も体験を語れ」

それは、「オペラ座の怪人」ならぬ「国際会議場の怪人」が現れたかのごとくだった。その年、十一月の筑波の冬は寒かった。会議場は、まだ暖房の時期ではないと云い張る大学管理部の思いがけない抵抗で、申し訳程度にしか暖められず、誰もが薄ら寒さを感じていた。熱帯の出身者であり高齢のラジャ・ラオにとっては、ひとしおこたえたことであろう。それにしてもその風体は異様だった。ずらり壇上に弧状に並んだ学者陣の、向かって最右端に、黒いマントにすっぽりくるまったまま、びくりとも動こうとしなかった。うずくまったガンジーのように。

動かず、云わず、与さず――。

シンポジウムは、誰もがしゃべるためにやってくる。ところが、怪人は、誰の目にも、黙るためにそこにいるとしかみえなかった。白人の間では、さすがに憤懣の声が挙がった。もっと参加精神があってしかるべきというのである。こう云ったフランス人は、もし私が、怪人から洩らされた一言を伝えたとしたら、どんな反応を示しただろうか。

「あの西洋人どもは、愚にもつかぬことを際限もなく云い立てておるだけじゃよ……」

超然たる、これは蔑視だった。

とすると、実際に、何のために、インド人導師は筑波くんだりまで来たのであろう。

東西間に、それほどまでの差異を彼に感じさせたものは、いったい、何であったのか。

これは最も本質的な問いのはずであった。そして、いまこそ、このことを考えるべき時が来たのだと私は考える。第二日目、「宇宙における人間の位置――東洋と西洋」と題するセッションのトップにラジャ・ラオは登場して、自説を発表した。それは断固、異次元的光芒を射放ってみえた。

「見よ、宇宙は燃えている」と題するその講述は、一篇の詩であり、思想であり、超科学だった。「人間が宇宙の中心であるのか、それとも真理が人間の中心であるのか」との設問で始まり、インドの聖典、『バガヴァッド・ギーター』を読むような美しい断章が切々と朗読された。その一部を拾っていくだけでも、こんなふうに――。


自然的な人間は、深い眠りの中においても存在する。そのとき、宇宙と我は等しい……

祈り(プレイ)prayはなぜ遊び(プレイ)playではないのか。それは因果性をこえるからである……

二元性においては、人は他のものを見る、他のものに触れる、他のものを聞く、他のものを知る。しかし、万物が自らの真我となったなら、見るべき何があり、知るべき何があるというのか……

死を見る者は死ぬことはない――けっして。

死は存在せず、世界は存在する、のであろうか。

生と死は道程である。

仏陀は、一切はリアリティなりとする。彼は「経験主義者」だったのだ……

物は心によって見られる。では、心は何によって見られるのか。

世界を観るには二つの路しかない。因果的な路か、不可測の路か、である。近代的な比喩でいえば、水平的な路か垂直的な路か、といえよう。一般相対性理論か、量子理論か……。インド哲学の文脈においては、そこには二元性も非二元性もない……

誰が知るのか、あるいは何が知る者を知るのか。そもそも知識とは何か。それは、経験である……

――ざっとこんな具合だった。

一座は、聞き終わって、しばし溜息まじりの沈黙にとらわれた。畏敬と当惑が入りまじって。

一座とは、そのセッションの座長をつとめた数学者のルネ・トムをはじめ、イスラム神秘思想家のダリシュ・シャイエガン、ギリシア正教とカトリックの情熱的ミスティックとして著名なオリヴィエ・クレマンなど、西洋側八氏と、日本側は、湯浅泰雄のほか、科学史家の伊東俊太郎、物理学者の石川忠男の三氏である。

高度のヒンズー教・仏教思想と現代科学思想の双方を踏まえ、その融合の先を行くような高度の内的心境の吐露であるだけに、誰もみだりに口は挟むことはできない。それでも、さすがにみな一流の士であるだけに、一拍おいて、東西思想の比較の面からどうなるのかといった質問が矢つぎばやに投げられた。

日本側は東大の伊東俊太郎教授が代表格で、こう尋ねた。

東西文明は原子論ひとつを取りあげても、仏教の倶舎論のごとく究極に解脱に至るものと、西洋のそれのごとく自然の操作と改造に至るものとでは、まったく異っています。両者のパラダイムの違い如何？――と。

これに対してラジャ・ラオは、自分は東西論にはぜんぜん興味がない、一個の人間として語っているだけですと云ったきり、かたくなに口を閉ざしてしまった。

壇上も、会場も、しばし息の詰まる沈黙が流れた。しかし、物云わぬエローラの石窟の彫像が口を開いたように、ふたたび嗄れ声が立ち昇った。

「諸君の科学は実験にもとづいているではありませんか。瞑想についても経験を積んだらどうですか」

怒ったような口調だった。

「必要なのは勇気です。差異を捨てさる勇気です。もっと自然な感覚の領域から考えた場合にはどうなるであろうかと、私は云いたい」

続いてこう切りこんだとき、「東洋の大義」の発する言葉としてそれは誰もの胸に響いた。

「現代科学が、ある種の究極的リアリティをわれわれの前にもたらしたことは事実です。しかし、インドや中国の古典、あるいはキリスト教的ミスティシスムの立場からみれば、科学がもたらしたものは究極のリアリティではないかもしれないのです……」

この思い切ったインドの哲人の下した結語は、反発を喰らうと思いきや、逆に場内から大きな拍手をもって迎えられた。

このような東西の対話をこそ、誰もが望んだことではなかったのか。

怪人は初めて、その賢者たるの正体を顕わしたかと思われた。が、そのあと、ふたたび、黒マントをすっぽりかぶると、物云わぬ一箇の石像に戻ってしまった。

筑波シンフォニー中のラジャ・ラオ間奏曲といった、ひとふしではあった。

——「しかして差異をこえる勇気を持て」

あの奇態な一幕を思い起こしながら私は、いま、なら俺も、あのグルーの垂示が幾分か分かるようになったかなと思う。

死は、生きているうちにこそ味わうべきものなることを、あの人は知っているゆえに、である。

西洋に「深渕の平安」として伝えられた「涅槃（ねはん）」のヴィジョンは、インドから到来した。それにしても、ラジャ・ラオの、あの沈黙と頑固さは、日本にはなく、飽くまでもインドのものであろう。仏教以前の、「死と生を踏み従えて踊るシヴァ神」、ヒンズー教のインドである。「絶対」が、そこでは踊っている。そしてそのような神は日本にはない。従って、「差違」は、ないわけではない。問題は、それをこえて、何がわれわれすべてをむすぶか——である。

ところで、あのシンポジウムには、東洋人としては、われわれ日本人以外にはラジャ・ラオしかいなかったと書いた。しかし、厳密な意味では、もう一人いた。イラン出身のダリュシュ・シャイエガンである。この人はパリのイスマイル派回教研究センター長で、かつてはホメイニ師によって追放された哀れな皇帝パーレヴィの側近だった。シンポジウム初日の先陣を切ってシャイエガンは、「現代科学のパラドックス」と題する発表を行ったが、その内容は緻密すぎて晦渋だった。しかし、ラジャ・ラオの「見よ、宇宙は燃えている」のあとの討議でシャイエガンが口を開き、次のように云ったとき、そこには大いに引きつけるものがあった。

「ラジャ・ラオ先生の講述は、哲学をこえた、あるいはそれ以前のもの、ヴェーダ文献中の『ウパニシャッド』（奥義書）に通ずるものと感嘆させられました。その最初の師（リシ）は云っているではありませんか——世界を見るとき、一つの蓮華の花として見るべし、と」

そういえば、シャイエガンの祖国、イランは、「薔薇の詩人たち」によって歌われた元ペルシアである。ヨーロッパから見れば「オリエント」だが、極東からみれば「西」だ。ペルシアをギリシアが打ち破ることによってヨーロッパは成立した。が、薔薇の原像をとおしてヨーロッパとイランはむすばれている。そして両者は、蓮華の原像をとおして、インドとむすばれている。ユングが述べた

《インドを挟んで、西洋で薔薇であるものは、東洋では蓮華である》
との玲瓏たる一言がよみがえらずにいない。

不朽の名著、『錬金術と心理学』で知って以来、私はこの一言を忘れたことがなかった。アルゼンチンでアルノルド・フォン・カイザーリング伯爵から教えられて同書の存在を知り、この一語を「ロジエー」の夢ときの至上の鍵——少くとも、第一の鍵として、押し戴いてきた。人間にとって本質的に最重要なるものはラジャ・ラオの啓示したごとく、光であろう。しかし、光は透明なるゆえに描くことはできない。よって、西洋はそれを薔薇で表わし、東洋は蓮華で表わしたというのである。

薔薇も蓮華も、光であり、いのちであり、そして回転である。西洋では「薔薇（ローズ）」は「車輪（ルー）」と語源を同じくし、その元に、共通の回転のヴィジョンがある。薔薇は、フランスでは大聖堂の「薔薇型窓（ロザス）」となり、それは回転している。いっぽう、インドで、釈迦は、三千弟子の前で一輪の蓮華を拈（ねん）じ、それはその掌中で回っている。法輪を転ずる、という。パリのノートルダム大聖堂の巨大な薔薇型窓は、はるか日本の京都、東寺（教王護国寺）の曼陀羅図と向きあって、共に回転しているのだ。

ラジャ・ラオとシャイエガン、インドとイランの二代表の対話を聞きながら、私は、そのような薔薇と蓮華が向きあって互いに回転し、それをだんだんと加速しつつ夏の夜の二つの大輪の花火のように光の粒子を燦爛と撒き散らすかのようなヴィジョンにとらわれていた……

雨引観音の尼さんが語ってくれた、蓮の花ではなく薔薇の花を手にした観音図もあるということも、思いだされた。

とすれば、いよいよ、なにゆえ「差違」に拘泥する必要があろうか。

シャイエガンについで、カトリックとギリシア正教の双方につうずるオリヴィエ・クレマン師が口を開いた。それは、ラジャ・ラオの垂示――もはや発表などではない――に対する吝しみない讃辞だった。エコーの響く次元というものがあるらしい。すると、これに答えてインド人グルーは云った。

インド、ユダヤ、キリスト教、そしてイスラムの間には、実際にはそんなにはっきりした相違はないのかもしれません。ところが、われわれが頭で作りあげてしまった差異なるものがあるのです。しかし、知性ではなく、もっと自然な感覚の領域から考えた場合にはどうなるであろうか――私はそう云いたかったまでです。

喝采が起こった。誰に異論があろうか。「科学」の名において誰もがここに集まっている。誰もここでは神を論じたりはしない。だが少くとも、「知性ではなく、もっと自然的な領域」があるということまで否定する者はいない。アインシュタインは、一九二二年に来日したとき、「菩薩来迎図」や「那智滝図」を見て、「真のリアリティ」がここには描かれていると云った。もう一つの自然、もう一つのリアリティがあるということに異論を唱える者はいない。これはどういうことであろうか。またその「領域」を何と呼ぶべきか……

討議は終わった。

場内からは、もはや、しわぶき一つ洩れなかった。壇上で、説き終わって自席に戻ったラジャ・ラオの隣で、湯浅泰雄がかすかに身をふるわせているのを、私は桟敷席から見上げていた。彼の感動は手にとるように伝わってきた。インドの哲人は、「勇気」の一語で、果てしない抽象的論議を一挙に道徳のレベルにまで引き戻したのだ。

思えば、幼くしてガンジーを知り、ネールを友としたこの老翁は、「正義の手段をもって正義の国家をつくる」ことを国是とする地上唯一の国から来た使者だった。「非暴力」を至高の武器とした彼らインド人にとって「勇気」の意味するものは、ナポレオンを崇める英雄主義の民族とは、断固、異っている。日本にも武士道がある。しかし、精神世界を語る我ら筑波派（ツクビスト）の間からは、これへの言及はなかった。和辻哲郎の直系弟子、湯浅泰雄からさえも――。私にしてからが、「東洋の無形文化財――気」を持ち出して得々たるものがあったが、「気＝内的実在」の方向への展開の努力を怠ってしまった。

ひとり、ラジャ・ラオの呈した「東洋の大義（コーズ）」のみが、光は東方よりを高みから代表しているように思われた。

大神神社でデジャ・ヴュー

たしかに、ここ、大神神社の境内には、源泉にふれる何かがあるらしい。

人工頭脳都市、筑波の抽象空間にまるまる一週間カンヅメにされて、かんかんがくがくの議論に明け暮れたあと、シンポジウム参加の外国人一団は、ご褒美のように古都奈良に招待され――天理出身の村上和雄教授の好意あふれる差配によるものだった――、法隆寺はじめ世界文化遺産めぐりをしてから、奈良桜井のこの神域に足を踏み入れたのだが、総勢二十人ほどの彼らの表情は打って変わって喜びに輝いていた。

天理市の教団施設で一泊し、鹿の群れつどう神苑に貸し切りバスから降り立った瞬間から、学者集団は別人と化した観があった。斑鳩の里で、黄葉の山なみを背景に三重の塔を眺めると、筑波では無感動の沈黙を守りとおした賢人ラジャ・ラオが、まっさきに忘我のおももちでこう叫んだ。

「何というセレニテ（寂寞）だ！」

そして傍らに立つ湯浅泰雄にこう語りかけるのだった。

「私にとって日本は、十八歳で初めてヨーロッパの土を踏んで以来の、二度目のカルチャー・ショックですよ」

「老賢人」がここで二人並んで語り合う光景はなかなか様になっていた。

こうして一通り名所旧蹟を見終わってから、夕景に、一行は大神神社に詣でたのだった。

私にとっては、忘れもしない、あの「三島由紀夫の部屋」で神秘体験を得て以来、ほぼ二年ぶりの再訪である。フランス文化放送の取材班をつれてそこで一泊した折に、異形（ぎょう）の土偶型人像（じんぞう）の顕現を見た。果たしてシンポジウムが開けるとも開けないとも、まだぜんぜん見透しの立っていないときだった。しかし、その後も、あの不思議なヴィジョンは自分の念頭を去ったことがなかった。床の間から顕れて、それは、寝ている私どもの枕辺の間を通り抜けていった。アーカイック・スマイルを浮かべて、四股（しこ）を踏むようなよたよた歩きで。しかも、そのあと、こんどは筑波の「トーチカ」で、神々しい一人の老翁が私の夢枕に立ち、「夷方中」という不可解な文字を授けてくれた。難行していた国際会議の準備は、あのあと好転した。人から何といわれようと、自分にとってはそれは瑞兆だった。そしていま、会議は目出度く終了し、こうして一流の学者団と打ちつれて、幽邃な三輪山の麓を歩いている。

誰ひとり、わが内なる体験を知ることなく――。

あの神秘的な三つ鳥居の前にさしかかった。ここには神殿はありませんと私は説明した。うしろの山そのものが神殿なのです……。夕空に水墨画のように渺(びょう)と浮びでた深い山肌に、点々と、白いシメナワ、丹塗りの柵、その手前から一本だけ極立って天に突き出た古杉など、そのどの一つをとっても西洋人の目には「記号」として映ったことであろう。実際に、日本そのものが、ある有名な日本論の題名にいうごとく、「記号の帝国」として捉えられている。おおかたのフランス知識人は、そのような抽象的既成知識を頭に詰めこんでやってくる。殊に神道については、戦前の国家神道のイメージから偏見を脱しきれない人も少なくない。ところが、大神神社に来てみれば、何もないのだ、山のほかは――。

苔むした杉の巨木、清冽な水流のほかは――。

そしてそれが、語るのだ。

いましもオリヴィエ・クレマン師が、三つ鳥居とその背後の三輪山に向かって、感にたえたようにこう云うのだった。

「メッシュー（皆さん）、ご覧なさい……」

一同は歩みを止めて、指さされた方向を眺めた。

「ここで、私は、《アルケ》(arché) という言葉を思わずにいられませんよ。それほど、古拙な、根源的なものを感じさせられます……」

私は驚いた。一夜、ここで顕現した怪異の浮かべた笑いを思い出したからだ。それはまさに「アルケ」的……「アーカイック・スマイル」であった。

太い眉根にぐっと皺を寄せ、肉のぼってりついた面魂（つらだましい）のクレマン師は、筑波で人々を魅了した朗々たる声音を、ここではひそめて、ささやくように続けた。

「私は、いま、不思議なデジャ・ヴューの感覚にとらわれています。ここに立った瞬間、子供のときに得たある感動がいっぺんに甦ってきたんですよ。あるとき、松の枝ごしに青空を視つめていると、急にそのアジュール（紺青）が、どこまでも深いものになっていったのです……」

すると、

「私もそうです」

と、ダリュシュ・シャイエガンが声を上げた。「ここに来たら、なぜか、自分が幼年時代に自然の中で得たある驚異的体験が突然に甦ってきたのですよ……」

イラン人の言葉に、三々五々、立ち止まった一行の中で、いくつかの頭が頷いた。共感が走っているらしい。

私はといえば、「アルケ」に続いて「アジュール」という言葉が出てきたことに、よけい感じていた。ただの青空よりも深い碧落を表わしている。われわれの言語にいう「深青（みさお）」だ。『孤島』の著者、ジャン・グルニエは、幼時、ブルターニュの海岸で、じっと青空を視つめているとそれが呑みこまれて消えたと告白している。そしてそれを「からっぽ」と呼んだ。

論じて同ぜず、感じて同ずる――そんな言葉が思い浮かぶ。ここでは「差異」はなくなっている。ラジャ・ラオが「科学者も体験を語る勇気を持て」と云ったのは、これではあるまいか。

このような個人的体験は、ある種の孤独とむすびついていて、内的秘密として誰しもあまり語りたがらないものだが、そのような感情がここの神域で露わとなり、しかもそれが誰にとっても心持よいことだったのだ。

「幸い私は」とクレマン師の声が続く。「カトリックであるとともにギリシア正教の信徒でもありますので、神道的スピリテュアリティといいますか、このような感情がよく分かるのです……」

「フィロカリー（愛美）ですね」

と私は言葉を挟んだ。

「そう。顕れたものを愛せ、それが神愛につうずる、と、こういう意味です」

そのとき、ラジャ・ラオのかたわらで黙々と聞いていた湯浅泰雄が初めて口を開いた。

「東方キリスト教会の伝統では……」

こう英語で言いかけて、ちょっと訳してくださいとこちらを向いた。フランス語で私はあとを継いだ。

「……霊的な女性原理を重視する傾向がありますね。近年、西ヨーロッパのカトリックの世界で《マリア顕現》という現象が騒がれるようになりましたが、それなども……」

マリア顕現――それこそは、多年、私の念頭を占めてきた最たる関心事だった。しかし、湯浅が云いおわらないうちにクレマン師はこう応じた。

「顕れ来たる超越的なものがある、ということです。人体は、それに参ずることができる。私共は、それを、宇宙的聖餐(ミサ)に参ずる、と云っています」

「そのような場合に……」

と、きいきい声が上がった。小田晋だった。部厚い目鏡の奥から伏目がちに、しかし謙虚な微笑を浮かべて、英語でしゃべるときでさえ例の機関銃のような早口である。

「……その超越的なもの、他者は、見る人間にとってヴィジョンとして顕われるわけですね。ということは、それをイリュージョン（幻覚）の体験と呼んでいいわけですね？」

精神病理学者として尤もな質問だった。良いも悪いも、小田博士の「何々症候群」は有名だった。三島由紀夫も分裂症に分類され、村松剛を憤慨させたことがあった。しかし私は、いまの質問の仕方に、典型的な二元論的アプローチの性質を感ぜざるをえなかった。相手はどう応ずるか、異常に好奇心を掻き立てられた。

「筑波で申しあげたとおり」と、さらりとクレマン師は答えた。「霊的なヴィジョンは、主観的ともいえないし、客観的ともいえません。西方キリスト教の世界においては、アッシジの聖フランチェスコはそのような体験を持った典型的な例でした。ユングのシンクロニシティ理論がこんにち私たちをこんなにも捉えているわけは……」

ユングと聞いて湯浅泰雄の耳がぴくりと動いたかのようだった。

「……物質界と精神界はおそらく深層において唯一の同じ実在であるということに人類が気づきはじめたからではないでしょうか」

するとき、やや離れた一隅に、杉の巨木の根かたに屯したグループの別の誰かから声が上がった。

「科学と宗教、物質文明と精神文明は、安易にむすびつけるべきではありませんよ」

はて、いまのは誰かなと考えるまもなく、ラジャ・ラオからぴしりと声が飛んだ。

「東洋では物質文明と精神文明の区別はありません！」

ここでも、肯定の一言を発したのは、インドだった。


はからずもこれはシンポジウムの見事な締めくくりとなったかと、私はひとりごちた。それにしても、知の饗宴をわれわれは筑波で楽しんだが、そのうち何人が、果たしてクレマン師のいう「宇宙的聖餐」にあずかりうるだろうか。

ラジャ・ラオはああ云ったが、東西文明の関係は、いまや逆転しつつあるということはないだろうか。五日間の討議を聞いて私がときおり感じたことは、西洋の学者のほうが超マクロ的に――たとえばボームの「暗在系」学説のごとく――一元的世界観を打ち立てようとしているのに反し、日本の学者陣のほうが、一見、伝統的見地から――たとえば「気」についてのように――統合的とみえて、実は二元論に留まっているのではなかろうかということだった。精神世界は精神世界、科学は科学というふうに。日本側に欠けているのは、おそらく、形而上学的といっていいような、何らかの強烈な宇宙的ヴィジョンである……

蒼然と忍び寄る森の夜気の中で、コートの襟を立てるばかりにして、一同は引き返しはじめた。心中、私は、自分が経験したここでの奇異な顕現現象について、皆に告白しようかしまいかと躊躇しつつ、喉元まで出かかって言葉をついに呑みこんでしまった。淡い後悔とともに。

帰途の遅いのを案じて迎えに来たのか、森々とした杉の巨木の参道のかなたに、ぽつんと小さく、白衣を着た神官の孤燈が浮かびあがった。

第六章　筑波越え

京都のニューサイエンティストたち

「人生は日々のデシジョンの集積であります」

壇上の人がそう云い切って、

「しかし、近代科学は、純客観的たらんとして心を排除しました。いま、文明は、そこから生じた最大の危機の上に立っています」

と言葉を継ぐと、場内は喝采につつまれた。

逆三角形型の巨大壁面にかこまれた会場で、点々と金髪も入り混じった聴衆が、立ち見も出るほどの熱気のなか、その国際会議は開幕した。

一九八五年四月二十八日――。

筑波シンポジウムからわずか五ヶ月しか経っていないというのに、その強力なメセナ「イナモリ」の名は電光のごとく世界のニューサイエンティストたちの間を駆けめぐり、いつのまにやらアメリカを起点とする「国際トランスパーソナル学会」がここ京都国際会議場でお膳立てされたのだった。

前夜、稲盛社長の山科の山荘に関係者は招待され、われわれ筑波派(ツクビスト)もその中にあった。これが稲盛流とでもいうのか、みんな、絨毯の上にあぐらをかいて酒を酌みかわした。

美しい銀髪を光らせた、月面着陸の宇宙船飛行士、シュヴァイカート氏も加わっていて、「無重力状態では一人々々が宇宙の中心だと悟ったが、ここの友好的雰囲気もおんなじだよ」と云って皆を笑わせた。

その余韻を引いての、今日の集会である。親愛感があらかじめ醸成されていた。「グラン・シェフ」稲盛和夫氏は、西洋人の間でさえすでに伝説化されているのか、壇上の一言一句に、導師（グルー）に対するごとき畏敬の集中が感じられた。

「自分の人生の出発点は、生長の家の本を読んだことがきっかけでした……」

ブースの中の同時通訳者から「生長の家」の名前を聞いただけでどこまで西洋人側が理解を示すか、ちょっと気がかりだった。しかし、話題はすぐ実践談に移った。「フラスコで実験中に私は気づいたのです——絶対的客観的データなるものはない、と。実験の結果に、心が作用します」

独自の稲盛思想の開陳が始まった。

アモルファスのアルミニウムで新しいレーザーの中心部をつくる作業に四、五年来取りかかってきたが、それは真っ暗闇の中を手探りで進む思いだった。セラミックの元となる結晶の隙間はアモルファスで、これは真空であろうといわれている。純粋だけでは結晶はできない。不純あるゆえに、結晶ができる。「ユダを含んで十二使徒があるようなものです――」との比喩に会場が沸いた。

弁士は、わずかに微笑を洩らした。うっすらと紅をさしたような、つやつやとした顔色は、オーラを放つようにみえた。筑波では、会場の第一列に陣取って、子会社の社長諸氏を左右に配し、自ら陣頭指揮でノートを取っていた。ここでは東西の好奇の群衆を前に、自ら発見した真理を堂々と開陳している。

「霊とは……、精神世界とは……」と語調を強めた。「そのようなアモルファスな空隙なのです。それが科学技術の世界と同居しているのです。いままで、意と情はそこから排除されてきました。これからはそれを包含した世界観でなければなりません。私は、ここのところの反省に始まって、自分の成功した理由を一つの方程式にまとめあげました。それは……」と云いさして、白板に向かい、こう書いた。

「能力×熱意×考え方」――。

「知と、意と、情ということです」

イヤフォンで伝わってくる英訳を聞きながら、碧眼の聴衆の手が一斉にさらさらとそれを筆記する。

「ナチの強制収容所から生き延びた一少女が……」

不意に変わった語調に緊張が走る。

「……その残酷さを暴いて世界中を回っていましたが、あるとき、空しさを悟って、止めたといいます。人間の心にはそのように大きなはたらきをする何かがある、ということです。意思は、魂の発現です。それが輪廻転生を繰りかえしながら、真善美を求めつづけるのです」

盛大な喝采を引き起こしてスピーチは終わった。

輪廻転生、霊は、ここではもはや当然のこととして語られている。それを証するものは、アカデミズムではなく、実践であった。

その印象は、続いて登壇したエリザベス・キュブラー＝ロスの信念にみちたスピーチによって強められた。いうまでもなく、女史は、世界的に名声高い『死ぬ瞬間』の著者である。一九二六年生まれだから、五十八、九歳になろうか。眼鏡の奥の大きな目と、一直線にむすんだ口元に、見るからに男まさりの意志強固が滲み出ている。自らも幽体離脱を体験し、そこから死後の世界観を革新し、死にゆく人々に安心立命をあたえるホスピス運動の先駆者となった。

「アメリカでは、六歳から十歳の児童たちの死因の第三位は自殺で、近親相姦がその少なからぬ理由です」

と、開口一番、悲劇的情況を呈する。

「こうした不幸な子どもたちをはじめ、死ぬ瞬間に人が思うことは、無条件に自分を愛してくれた人々と、その人々とともに過ごした人生のモメントなのです……」

場内は水を打ったようにしんとなった。

「死にかけた子どもを世話することは憂鬱なことではありません。私共は教わることばかりです。マイダネクで数万人の子供たちが、殺される前夜に、壁に爪で引っ掻いて父母にあてた言葉と画が残されています。画は、たくさんの蝶々です。私は、死んでいく子供から、死んだらどうなるのと聞かれるとき、蝶になるのよと答えます。私たちは、生きている間は、繭のようなものなのよ、と……」

場内の空気が揺れた。ハンカチを目がしらにあてている女性もいる。

「しかし」と、凛とした声が響く。「死ぬときに気づいたのでは遅すぎるのです。アメリカには三歳でエイズにかかった子供たちがいます。親から病院に捨て子にされた子供たちです。私は、いま、その子たちのために救護所をつくりたいと願っていますが、そうした施設だけでは真の解決にならないのです。ましてや、われわれ成人は、自分の霊的部分をつねに開発して生きていかなければなりません。そうすればシンクロニシティ現象が必ず起こります」

そうか、そのように「暗合」の問題はむすびつくのかと思った。締めくくりの言葉は、さらに啓示的だった。

「トンネルの先の光を見た人は霊力を持った人です。その光は神から来たものにほかなりません」

松見守道よ、を私は心中で呼びかけた。あなたは、その光を見たのでしたね。そして枕辺に私を呼び、実相を伝えてくださった……


ソニー会長の井深大、新体道の青木宏之、心身医学の池見酉次郎といったスピーカーがこれに続いた。みんな、我が党の士だ。湯浅泰雄と私は、ここでは聴衆の一員にすぎず、並んで見守る側に入っている。

二人で首くくりの寸前まで行ったような、あの苦難が実って、こうして次のエポックがすでに滑り出した。言葉には出さずとも、思いは同じに相違ない。「E・T」の横顔をそっと窺いながら、こう私は胸につぶやいた。

みんな、一緒に「筑波越え」をやった仲ですね――。

村上和雄、「信仰告白」を書く

いささか怪しい雰囲気のない集会でもなかった、しかし、あの国際トランスパーソナル学会は。

コーヒーブレークに、白人組が三々五々、ロビーなどで円陣をつくって手をつないで坐っている光景がみられた。「瞑想」のつもりらしい。

ははあと、頷けるものがあった。元来は、この運動は、トランスパーソナル心理学と名づけられ、LSD使用のサイケデリック・セラピーとして一九六〇年代アメリカで発達したものといわれている。指導者の一人、スタニスラフ・グロフも、この京都の会場に駆けつけて演説をぶったが、とりたてて感心させられるほどでもなかった。

人間は自分の脳の中に全宇宙を持っているが、西洋は、ボーム、プリブラムに至るまでそのモデルを見いだしえなかった——というグロフ氏のアプローチそのものは、われわれとそう異なるものではない。ただ、問題は、ドラッグだった。

「神秘」と「神秘化」は、まったく似て非なるものである。

これには私は遠い想い出があった。

鎌倉の円覚寺に鈴木大拙師を訪ねたときのこと、「アメリカのビート・ジェネレーションの連中がいろいろ云ってきてな」と云いながら一通の手紙を取り出して読んでくださった。「禅で、悟れば、一脚の椅子が金毛の獅子になるというそうですが、トリップすればおんなじ精神状態になると云っておる。ところが、違うんじゃな」

長寿の相の、ぴんと眉毛の二、三本が飛び出した下の、破顔一笑。

「違うんじゃな」に、すべてはあった。

長い人生で、どれほど私はこの一言を思い出してきたことかしれない。

その後、トランスパーソナル心理学が流行した一九六〇年代には、私はパリにいた。

「サイケ調」という美術用語が流行した。日本からやってくるアーチストの中には、ラリって幻覚的に描くことを進んでいると錯覚する手合いがいて、彼らは秘密の薬物の集会を訪ね歩いていた。芸術家と阿片は長い馴染みの関係で、いまさら珍しいことではない。新しいのは、それを「サトリ」と呼ぶミスティフィケーション（神秘化）だった。

「筑波越え」は、どの方向へ行こうとしていたのだろうか。

作用あれば反作用ありのリアクションも起こりつつあった。われわれが筑波から京都へ向かっているのと擦れ違いに、同日、京都から筑波大学に乗りこんできて一席ぶった人物があったと聞かされた。対抗のつもりであろう、翌日の朝日新聞の一面に「ヒューマン・サイエンス」という宣言文が掲げられ、そこには、浅田彰という名があった。

そういえば、パリのソルボンヌで行ったという彼の講演テキストを『朝日ジャーナル』——懐かしい名だ——誌上で見たことがあった。やたらと、「拍手」、「拍手また拍手」というふうにト書きが入れられているのには閉口したが、とんでもないはったりだった。事実は正反対だったのだ。というのも、我が旧友にして筑波シンポジウムの参加者でもある作家のミシェル・ランドム君が、たまたまその講演会場の第一列に陣取って、実際の光景を眼のあたりにしていたからである。同君は、途中で我慢できずに立ちあがり、「こんな低劣な御託は生まれて初めて聞いた」と真っ向から痛罵すると、回りから賛同の拍手、これこそ本物の拍手が起こったというのが真相だった。

天網恢々、といったところか。

日本の伝統の「構造主義的」読み替えが、そのときの弁士の主張だった。神話につらなる天皇制を「中空構造」と命名したその理論は、当時、日本で大当たりをとっていた。分けもわからずに「構造主義にもとづいて」というのがアカデミズムにまで影響し、筑波でも、事もあろうに体育学系の武道論の博士論文にまでこの語法を持ち出して、指導教官からこっぴどく叱られた学生もあった。当の学生自身から私が聞かされたことである。

そんな新左翼的遠吠えもあったが、時流は「パラダイム変換」を受け容れつつあった。

《科学・技術と精神世界》シンポジウムの翌々年から、その実りは世に出始めた。

ある日、村上和雄教授が一冊の本を手にひらひらさせながら私の研究室に飛びこんできたのが幕開けだった。「とうとう僕は信仰告白を書いてしまいましたよ」と云いながら、『人間・信仰・科学』というその本をさしだした。いつもながら反応の素早さには敬服させられる。のちに「村上和雄」の名を一気に押しあげる「サムシング・グレート」の原型がそこにあった。

同年、同じく理系では、小田晋が『宗教の時代——人は、なぜ神様にシビれるのか』を出版した。これも当たって、「シビれる」シリーズが続いていく。ほかにも『キリスト教も幻覚から始まったのか——幻覚と妄想の不思議』、『人はなぜ、幻覚するのか』など、「なぜ幻覚」シリーズが矢つぎ早やに出て評判となった。もっとも、村上、小田両大家とも、それぞれ遺伝子学、精神病理学の埒内からの二元論的スタンスをとってのアプローチと見えないこともなかったが。

文系では、湯浅泰雄が『気・修業・身体』を出版したのも、同年のことである。丸山敏秋の閃きにみちた『気——論語からニューサイエンスまで』が、これに続く。師弟して空前の「気」ブームの先陣を切ったことで注目させられた。

その五年後、湯浅を会長として人体科学会が創設された。これは、「マインド・ボディ」一体観に成り立つ高度の研究組織として国際的名声を博し、それからちょうど三十年を経た二〇一六年現在、丸山敏秋を副会長として、一層の活動の幅を広げている。同じ一九八六年には、シンポジウムの記録が湯浅・竹本編の『科学・技術と精神世界』全五巻として青土社から刊行された。湯浅泰雄はここで、断然、余人を寄せつけない博識の名解説をもって、時代のニューサイエンティスト群像の先陣を切っている。

ともあれ、老賢人、もはや「鬱」に取りつかれている余裕がなくなったのは結構なことだった。

ところが、鬱病の瘤(こぶ)は、どうやら、あの立派なおつむから、こっちの狭いおでこに飛んできてくっついてしまったらしい。大仕事を終えたあとの虚脱感に私は陥っていた。大津波が退(ひ)いていったあとの海岸に、ひとり残された岩礁のように自分は独りであることに気づいた。

しかし、こんな自分一個人の感傷とは無関係に、「気」は社会的大流行となりつつあった。筑波大学は、いまや、そのメッカである。気功術が中国から流入し、われら筑波派(ツクビスト)は大学の体育学群に中国人気功師を招いてデモンストレーションを行ったりした。これはセンセーションを巻き起こした。体育系の学生たちをおおぜい向こうむきに並ばせて、気功師がこちら側から手を動かすと、そのとおりに、学生の何人かが同じ動きを呈するのであったから、誰の目にも、見えない何かがあることは確かだった。見えない綾（あや）のようなものが人体間をむすびつけているに相違ない。気功師は、人の疾患の所在までを云い当てるという触れこみだったので、医学部のある教授が自分の研究室を診療室なみに解放した。すると、看てもらいたいという人々が戸口に殺到した。なんと、その教授自身が、まっさきに、これは内緒だよと云いながら実験台となって横たわるのも滑稽だった。いつのまにか、廊下でそんな人々の交通整理役を演じている自分を見いだして、私は苦笑するほかなかった。違う、これは俺の進もうとしていた道とは違うと、内心つぶやいた。

しかしながら、その間にも、湯浅泰雄の身体論は、果然、脚光を放つに至った。日中交流の水脈に添って名声を広げ、その著書は英・仏語にも翻訳されて世界的影響力を及ぼしはじめた。

「新体道」も、一気に檜舞台に踊り出た。シンポジウムの中日に「遠当術」で西洋人学者団の度肝を抜き、不安と反撥さえ買ったほどであったから、創始者の青木宏之師範は一躍、時の人となった。道場を京セラの稲盛社長が訪問して、皆の面前で援助を約束したから、信用度は不動となった。その場にわれわれも立ち会った。道場を出しなに湯浅泰雄はこう私に洩らしたものだった。

「いちばん得をしたのは、青木さんですね」

そういえるかもしれない。一つの文化的大事件が起きると、いくつかの名が地平線上に昇り、他の幾つかが反対側に消えていくものだ。青木師範を発見して筑波に紹介したのは他ならぬ私だったから、その成功は大いに喜ばしいことだった。

新体道という一種の異端的武術を創始した青木宏之氏は、不思議な人間的魅力をそなえたキャラクターであった。およそ体を動かすことの苦手な小輩にとって、新でも旧でも「体道」そのものにさっぱり興味はなかったが、一派を興こした彼の内的体験には大いに興味をそそられた。シンポジウム前後は連日のように交流し、回顧談を聞かせてもらったものである。特に若き青木宏之が人生の難関に立った折にメキシコに赴き、もうどうなってもいいと死をも覚悟してベッドに横たわっていたときに、ある神々しい老翁の顕現を見たという挿話は気に入った。「わが心の神武天皇とお呼びしているのです」と、奇妙な呼び名をも洩らしてくれた。

やはり、こういう場合に、顕現は神話的源泉――「アルケ」――から起こるのだなと思った。

青木宏之は、武術家という以上に幻視者の観があった。青年期、空手に進むまえは画家を志していたというから、まず、視る人であったのだろう。さらに、新体道の発祥を聞いて、一個のミスティックと感じた。何人かの同志とともに、当時、横浜の道場で剣道にはげんでいたころのこと、ある瞬間に一同の剣尖が自ずと中央に集まって天心を刺すという出来事があった。そこから「天真五相」という基本形が生れた。こうした神秘体験を共有した数人が一団となって苦難を駆け抜けてきたという経歴に、一派の持つ特異な結束力の源泉があるようにも思われた。

初めて「シンタイドー」の名を聞かせてくれたのは、熱烈なシンパ、フランス人のアルベール・パルマ君だった。なかなかの変屈者だったが、青木門下にはそんなひねたアジア無宿といったヒッピーがごろごろしていて、彼らにとって「アオキ」はちょっとした救世主だった。のちに私は請われて千葉県の合宿所で講演させられたことがあったが、翌朝、少からぬ白人を混じえた弟子たちの練習風景には度肝を抜かれたものである。九十九里浜の長い砂浜に、男女が向き合って坐り、延々と帯のように長い一列となって、互いに相手の背中を摩擦しあうことからトレーニングを始める。若い女性などは顔を赤くしてふうふう云っている。エモーションと「気」の発揚は、たしかに紙一重なのであろう。べつだん、悪いことではない。「エロスの武士道」と命名したジャーナリストがいたが、なかなか穿（うが）っている。

固いばかりが武道ではない、なるほど。人を見て法を説くように、相手次第で自在にはたらくところが、「アオキ」の「キ」なのであった。筑波シンポジウムの期間中、青木師範は、インド人グルー、ラジャ・ラオの背中をホテルの風呂で流してあげて、たいそう喜ばれた。そんな挿話をあとで聞かされて私はなおのこと感じ入った。百日の説法、一洗にしかず——か。凝り固まった黒マントを怪人から抜がせたのは、遠当術で相手を倒す以上の名人芸であった。

クフ王のピラミッドの砂粒

挙（こぞ）って「筑波越え」をやったことの功徳はあったようである。それぞれに——。村上和雄がいみじくも「信仰告白」と呼んだように、人によってはそれは魂の変容を来たすほどの大事件であった。

しかしながら、当初、「別世界に橋をかける」と私が願ったような「橋」は本当に架かったのかといえば、まだ程遠しといわざるをえなかった。

私自身、少々顔を赤らめてそう告白せずにいられない。何よりも、前記のごとく、

「霊」という語を容易に発音しえなかった。「スピリテュアリティ」の一語についても、「精神性」と訳すに留まっていた。「霊性」とはなかなか云いえなかった。湯浅・竹本共編の『科学・技術と精神世界』全五巻中にも、「精神性」は頻出するが「霊性」は一度も出てこない。ということは、前提として、「彼岸」はまったく無きかのように振るまわざるをえなかったということではあるまいか。

そうとすれば、わが初志は、本願は、どうなったのか。

事は「気」だけで済む問題ではなかった。

人口に膾炙したマルローの言葉、《二十一世紀はふたたびスピリテュアルな時代となるであろう》をわれわれは大きなパネルに仕立てて、国際会議場の入口に押し立てたが、核心の一語を「精神的」と訳して、「霊的」とは訳しえなかった。

いまにして思う。もしあのとき、《二十一世紀はふたたび霊性の時代となるであろう。しからずんば二十一世紀は存在しないであろう》と訳出していたならばどうであっただろうか、と。

仏語では「スピリテュエル」、英訳では「スピリテュアル」で、そのままで通るわけだが。

云いかえれば、科学的でありうるか否かは「霊」の一字を入れうるか否かにかかっていた。

私は思い出す。あれから約二十年後、東京都庁のある役人の前に立ったときのことを。

大学退職後に私は、ふたたびアカデミズムを離れて、一時期、政治活動に従事したことがあった。一九四五年「三月九日」の下町大空襲の生き残りとして、一夜にして殺戮された十万人もの犠牲者の慰霊塔が未だに建っていないことを悲しみ、その建立のために同志とともに動いたときだった。「南京大虐殺」の虚構をただす運動の同志、藤岡信勝教授らと一緒だった。石原慎太郎知事との面会に先立って、東京都民生局の役人と会った。「下町大空襲犠牲者の鎮魂碑を建てたい」というわれわれの口上を聞いて、部長だか課長だかは冷ややかに答えた。

「魂とか霊と云っては困ります」

「何ならいいんです」

「追悼祈念碑なら……」

「慰霊、鎮魂でなくて、何を祈念するんですか」

そう云ってわれわれは席を蹴って出てきたのだったが……

そのあと、石原都知事とも会見したが、この件に関しては特に話は嚙みあわなかった。

作家としての石原慎太郎は心霊世界に敏感でないはずはないのだが。『青木ヶ原』のような作品を書いたり、映画化までしているのだから。

　つくづく、われわれは、「霊」の欠字時代を生きているのだなと思う。欠字のまま、「二十一世紀」を迎えたのだ。そして、とたんにテロ時代となった。二〇〇一年のとっぱなに、「9・11」全米同時テロが起こった。それからさらに十五年、いま現在、ＩＳによる無差別殺傷事件は世界中で猖獗をきわめている。「民主主義」対「反民主主義」勢力の戦いという捉えかただけで真の決着はつくのだろうか。


「スピリテュアリティ」を「精神性」と訳して事足れりとする我が懶惰（らんだ）を叱るかのように、シンポジウムが終了するや、またもや超常現象が身辺に頻発しはじめた。

　パリで知己となった空手家の阿部某師範から東京の私邸に招かれたときのことである。ショーン・コネリー演ずる映画『００７』の日本篇に出演して、ジェイムス・ボンドとの死闘のシーンを演じた達人である。アラブ諸国の王侯に招かれて空手を指導し、その謝礼にもらった高価な品々で家は埋めつくされていた。夕飯までちょっと間があるからと、グランド・ピアノの置かれたサロンに通された。お茶を出され、しばらく一人になったとたん、うたた寝をするような、すうっとした気分に引きこまれた。ブエノスアイレスの一夜をはじめ、すでに何度か覚えのある、ヴィジョンを見るときの心的状態である。そのあと起こったことは覚書をそのまま写せば次のごとくであった。

私は、雲を突くような壮大な古代エジプトの建築物の中にたたずんでいた。全体が茫漠（ぼうばく）とかすむ中に、見えるか見えないかに、ただ、巨大な柱が何本か立っている。

ふと、右手に帝王の気配があり、声がした。その声はこう告げた。

「政治的革新とスピリテュアルな革新を同時に行わなければならない」と。

あたりは非常に厳粛な、また蒼古たる雰囲気に満たされていた。

こんどは左手に別の男の気配があり、それは占星術師のようであった。煙のように朦朧と立つその人物にむかって、私はこう問いかけるのであった。

「これから私が行おうとすることを、ずっと昔の神々の徴で表わしたとしたら、どんなものになりますか」

竹本さん、と呼ばれて我に返った。いつのまにか空手家の精悍な体軀が、夫人と連れ立って扉口に立っていた。スキヤキの匂いが奥から漂ってくる。遠いところから帰ってくるように意識が現実に戻るのに何秒かかかった。ようやく状況に気づいて私は照れ隠しに笑いをつくって、実は……と、見たばかりの幻影について語った。すると、「まあ、不思議だわ」と京子夫人が云った。(書き忘れたが、奥さんはピアニストである)。つかつかとピアノに近付いて、その蓋の上に載った何やら小さな物体を手に取る。そして「これは……」と云いながら私の掌の上に置いた。見ると、一辺が三、四センチほどの、プラスチック製の四角錐である。

「このあいだ、エジプト展を観に行ったときに買ったものですの……」

透明な表面の内側に、豆粒ほどの石ころのかけらのようなものがみえる。何であろう。裏をひっくりかえすと、底に小さな日本語の文字を記した紙が貼りつけてある。それはこうだった。

原石証明。

いま、君は、ギザの石を手にしている。

ピラミッド建設用の石、エジプトの光の中にあった石だ。

エジプト政府観光省長官　　モハメド・ナッシム

たった一粒の砂——。これと我が意識は交叉していたのであろうか。

確かなことは、幻影にむかって私が尋ねていたことである。またしても、自分の「徴」は何か、と。

その応答として「ピラミッド」が示された。

私がこう問いかけた相手は、おそらく、最高位の神官なのであろう。あの荘厳な丈高い列柱は、まさしく古代エジプトの神殿のそれのように思われた。

重要なことは、ヴィジョンの中で、王が、「政治的革新とスピリテュアルな革新を同時に行わなければならない」と宣言していたことである。古代エジプト四千年史において実際にこのような同時革命を宣言し、実践したのは、第十八王朝のアメンホテプ四世以外にはない。世界史教科書でわれわれが学んだ「アマルナ」革命がそれだ。アメンホテプ四世は「イクナートン」（アトン神化身）と自称し、テーベからアマルナに遷都した。多神教から唯一神教に移行することで、統一国家の強化をはかろうとしたのだが、旧勢力の神官たちの反対によってこの政教一致革命――「革新」――の政体は彼一代をもって終わった。

イクナートンの妃が、古代オリエント随一の美女と謳われたネフェルティティである。その王子がツタンカーメン（アモン神化身）にほかならない。若き王子は即位するや都をテーベに戻し、アモン信仰を復活させた。

ヴィジョンから覚めるや私は、プラスチック製のミニ・ピラミッドを掌に載せて、そのような歴史を目まぐるしく想起した。そして、スキヤキ鍋をつつきながら感想を空手家夫妻に語った。エジプト学は、パリ留学中に齧って、いっぱしのことには通じている。多くはルーヴル美術館で学んだ。ルーヴルにはエジプト部門だけでも二十室あり、そこを見歩いては、なぜか至福に近い感動を味わったものだった。最初のころはたいてい盟友松見守道と一緒だった。二人してイクナートンの彫像に見入り、「アマルナ革命」について語り合った。おかしなことに、あの大きな黒目を見開いた傑作、「書記坐像」の顔は、松見守道の顔とよく似ていた。松見とは、冷戦時代のベルリン美術館にまで一緒に赴いて、世界美術に粲然たる「王妃ネフェルティティ頭像」にこもごも賛嘆の声を上げたものだった……

こうした記憶が一時に甦ってきたが、この記憶が下地にあって、それがヴィジョンへの引き金を引いたのかもしれない。

ヴィジョンの中で、私は、王についで顕現した高位の神官――おそらくは占星術師――に向かって、こう質問していたのだった。「これから（私が）行おうとしていることを、ずっと昔の神々の徴で表したとしたら、どんなものになりますか」と。

さながらこの問いに対する答えのように、「ピラミッド」のミニチュアは、あらかじめ、そこにあったのだ。

ミニチュアに付された書き付けによれば、その中の石粒はピラミッド中でも最古のもの、クフ王の建てたギザのそれより来たとのことだった。最神聖なるものを秘めた最古のかたち――《ピラミッド》――が、わが質問にこたえて示された「徴」であった。

死力をつくして実現した《コルドバからツクバへ》プロジェクトが終わってみると、私は、自分がそこに賭けた夢と結果の間に何とないずれを感じて、一種の痴呆状態に陥っていた。「気」の展開は、正確には、私の方向ではなかった。湯浅泰雄との共著、『ニューサイエンスと気』（青土社）を出したり、『ニューサイエンスと東洋』（誠信書房）を出したりすることで、自身、この方面のランナーの一人となったことは確かだが、しかし、以後、どう進んでいいか分からず、以前の哲学者湯浅の鬱病が伝染してきたかのようなメランコリーに陥ってしまっていた。ここから無意識的に、顕現した古代エジプトの占星術師にむかって問いを発していたのであろうか。

「徴」といえば、先にシンポジウムの準備に行きづまって、首でもくくりたい心境になったとき、一夜、不思議な老翁が夢枕に立って、意味不明の「中」という文字を示してくれたことがあった。何のことか分かりませんと心に念ずると、また数日後に顕れて、こんどは「夷方中」という三文字を授けてくれた。謎に対して、解ではなく、別の謎をもってする応答だった。だが、さながらそれが吉兆であったかのごとく、本願は成就された。「賢者は説明しない。ただ、矢をもって指示するのみ」とかつてマルローから聞かされたことがあったが、まさに「矢」は示されたのである。

いまにして考えられることは、こうである。

「霊性」の一語をも使いえずしてためらっている自分の前に、政治・霊性上の同時革命をやってのけたファラオ、イクナートン自身が顕れて、暗示してくれたのではなかろうか、と。ここまでくると、事は私の個人的レベルをはるかにこえている。霊界なるものが仮りにあるとして、その中にも幾つもの階層があり、挫折した古代エジプトのファラオの念の生きる層は、その高みの一つとして、いまなお流れているのかもしれない。一粒の砂が個の意識をそこに結びつけてくれた。

「クエヒコ」の謎とける

ポスト・シンポジウム一年目、一九八五年の夏が来た。

筑波の暑さは逃げ場がない。おまけに、長いフランス生活の影響——悪影響——で、私はクーラーを入れたことがなかった。「トーチカ」の一階で、扇風機一台をぶんぶん回しながら、頭に鉢巻を巻き、それにアイスノンをむすびつけて、半裸の恰好で、ぼたぼた汗を垂らしながら原稿を書く日々を送っていた。

道路に面した庭は手入れ一つしないので草ぼうぼうである。あるとき、湯浅泰雄が、「八重むぐら茂れる宿の……とはこれだね」と笑いながら入ってきたこともあった。テラスを通らずに、道路から玄関先まで往き来するものだから、自ずと小路が出来て、これも、訪ねてきた美学の助教授から「けもの道」と命名された。

「松見の森」の原野は、見かけの科学都市にもかかわらず、処々にまだその痕跡を留めていた。その北限に位置する並木町の拙宅のあたりは、裏口に出れば一面に野原が広がっている。そこでは左手前方の筑波山を背景に、アマゴの泳ぐ小川が、はるか右手の霞ヶ浦の方角へさらさらと流れていく。庭の「八重むぐら」は、もう夏の半ばから虫がすだき、ほかより早く秋は来にけりと知らされるのだった。

そんなある日、私は、日立市に講演に赴いた。どういう団体からの依頼だったか、覚えがない。何をしゃべったかも。メモも残っていない。記憶に残っているのは、常磐線を日立駅で下りると、駅前広場がフランスの郊外に見えるようなアカシアの整然たる木立が並んでいて感心させられたことぐらいである。

講演会場は、そこから遠からぬ文化会館だった。

そんな平凡な事が忘れえぬ重要性を持つに至ったのは、そこで、あの知識を得たからにほかならない。

人生の大事な発見は、しばしば脇道でもたらされる。あのときがそうだった。まさに脇道、いや、会場ホールの脇の控室だった。そこに通されて出番を待っている間に、挨拶にみえた主催側の会長と対面した。大木（おおき）なにがし氏といって、戦前戦中に活躍した詩人、大木惇夫（あつお）の兄弟にあたるとのことだった。

大木惇夫といえば、大家である。「戦中派」とのレッテルを貼られて戦後は「パージ」されたが、昭和原人たる愚生にとっては、そんなことは何の痛痒もない。講談社の少年少女世界名作全集『鉄仮面』の訳者として、また東海林（しょうじ）太郎の唄う流行歌「国境の町」の作詞者として、その名はむしろノスタルジアを掻き立てる。そんなわけで主催者に何となない共感を感じたが、自分は古神道を学んでおりましてというのを聞いて、あのことをぱっと思い出した。大神神社で得たヴィジョンのことである。そこでそのことを物語ると、言下にこう云われた。

「それは、クエヒコです」と。

初めて耳にする名だった。

こう聞いただけで、そのあと、講演の出番となり、話は途切れた。その後、大木氏とは再会する機会はなかった。

しかし、聞いたことは気になったので、日本神話を読みなおしてみた。最初に日本書紀の神代紀を見たが、そこには「クエヒコ」の名は出てこない。もちろん、大神神社ゆかりの項を探したのだが。そこで、私が大神神社で一夜の宿りをしたときに見たヴィジョンであるから、いずれにせよ、主宰神、大物主大神（おおものぬしのおおかみ）にかかわりがあるに相違ないと考えた。大物主大神は、そのブレインである少彦名命（すくなひこなのみこと）の協力を得て現世の天下経営を成就するが、出雲の国まで回国したときに国土荒廃のさまを見て、あゝ、もはや我が天下統治の助けをしてくれる者はいないのかと嘆く。すると、海面を寄りくる怪光があった。不思議にもそれは、大物主大神自身の「幸魂奇魂」にほかならないのであった。ここで、大和の国の三輪山に住みたいというその希望を容れて、「大三輪（おおみわ）の神」として祀った、うんぬんと――とある。

これは、オリヴィエ君らフランスの取材班を連れて、私自身、大神神社に詣でて、中山和敬宮司からじかに聞いたところでもあった。

そこで、こんどは、古事記の「上つ巻」を開いた。ここでは、大物主大神は大国主命（おおくにぬしのみこと）として語られる。民間伝承として一般にはずっと親しみやすい。「大きな袋を肩にかけ、大黒さまが来かかると……」の童謡で馴れ親しんだ物語が長々と語られ、歌われて、その仁慈の深さが讃えられる。しかし、片腕とたのむ協力者、少彦名命は、なかなか登場しない。二人して国土形成に刻苦した体験は、大国主命の長兄らによって次々と仕掛けられる悪企みの物語として興味深く展開していく。そして少彦名命は、大国主命が出雲のある岬に至ったときに、ようやく、豆殻の舟に乗って波の穂の間から出現する指ほどに小さな不思議な生き物として登場する。あれは何者かと周りの神々に聞いても返事がない。そのときであった、一匹のヒキガエル（タニグク）がこう申しあげたのは――

「これは、クエヒコ（久延毗古）なら、きっと知っておりましょう」と。

初めて「クエヒコ」の名が現れた！

そこでその者は召し出され、少彦名命の出自を明らかにする。すなわち、神産巣日神（かみむすひのかみ）（高天原三神の一）の御子にほかなりませぬ、と。そのことは確認される。かくて、大国主命と少彦名命の二神が「相並びて、この国を作り堅めたまひき」、めでたしめでたし、となる。

が、物語は続く。

少彦名命がみまかったあと、改めて、その由来を明かにした「クエヒコ」とは何者かという詮議となった。ここで古事記は、最重要——私にとっての——の事柄を、さらりと、こう述べているのである。

> いわゆるクエヒコとは、こんにち、山田のカカシとして残っているのが、それである。この神は、足は行かないが、ことごとく天下の事を知っている神であるぞよ。（いはゆる久延毗古（クエヒコ）は、今者（いま）に山田の曾富騰（そほど）といふ。この神は、足は行かねども、ことごと天の下の事を知れる神ぞ）

謎は解けた！

このあと、古事記は、大国主命が、海上を照らして寄りくる神と出逢い、国造りを助けられ、その願いを容れて大和の三輪山に祀ったと記し、この点において日本書紀の記述との一致をみせる。かつまた、記紀いずれにおいても、これに続いて、神代における最重要事件、「天遜降臨」に筆が及ぶ点において完全に一致をみている。

このような文脈において、「クエヒコ」なる存在が、ほんの端役にみえながら実は意味深い役割を果たしていることに、私は注目せざるをえなかった。単なる「カカシ」の先祖ではない。往古、カカシと見る素朴な見かたが巷間ひろがっていたことはあったであろう。また、戦後の歴史家の間で、「クエヒコ」は「カカシ」の擬人化にすぎないといった唯物主義的解釈も好んでなされたようだ。しかし、私は、「クエヒコ」は「崩彦（クエビコ）」と同義という解釈のほうに引かれるものを感じた。いわば、足萎（あしな）え、である。「足は行かねども……」と古事記は叙している。古今東西において不具者が智慧者であることは、まま、語られるとおりで、深層心理学のよく研究するテーマでもある。親指小僧のような少彦名命といい、これをよく知る「クエヒコ」といい、八面玲瓏たる美男子の大国主命に比べれば、一見、出来そこないも甚だしい。しかし、実際には、実力と叡智の権化であり、大国主命の分身的存在とみてさしつかえあるまい。「大穴牟遅神（おおあなむぢのかみ）」、「葦原色許男神（あしはらしこおのかみ）」をはじめとして、併せて五つの名、美称をもつとされる全能の神の、これら影の一族は、分身であるとともに実は大神そのものの別の姿とも見うるのではないか。一つのファミリー中に図抜けて優秀な人物が現れれば、別の一人が極めて不出来だったりする例は、遺伝学的にも世間にざらにあることだ。全体として、足して一となる補足性の原理がはたらいていることは、心理学的にも知られていることで、神話や物語にさまざまに語られてきた。

　このように考えをめぐらせることで私は、大神神社の一夜に自分に顕現した怪異の正体について、ようやく納得がいったと思った。三歳児のように小さく、太い短い足を、四股を踏むように左右に揺らしながら、よたよたとそれは通りすぎていった。古拙の笑いを浮かべながら。

　そういえば、「クエヒコ」は、古事記の原文では「久延毘古（クエヒコ）」という漢字が当てられている。ただの「山田のカカシ」に、こんな美辞は要るまい。「久延毘古」とは、「久遠に、生きつづける古元（アルケ）」といった感じで、いかにも妙ではないか。

ノラ子

　西洋のギャンブラーの間では「降れば土砂降り」という諺があるらしい。たしか、二十世紀のイギリスのお騒がせ作家、アーサー・ケストラーが「偶然」に関するある著書の中で引用していた。ツキをそう呼ぶという。暗合現象も似たようなものだ。日本武尊の歌の夢みの翌日、こんどはこんな奇態な出来事が生じた。

まず、変わった夢をみた。

私は、細長い小部屋で、酒宴の席にいた。すると、テーブルの向こう側から二人の女性が順に私の右手へと近づいてくる。私は、両手を、掌を上にして差し出している。掌には、点字のようなものが、レリーフ状にぽつぽつと浮き出ている。一人目の女性が前にくると、自分の両の掌をこちらの両の掌にかさね、じっと私を視つめてから左手へ通りすぎた。次に二人目の女が来た。同じように掌をかさね、婉に優しい風情で、同じくこちらをじっと視つめた。そして何か熱心に語りかけるかのように口を動かすのだが、私にはまったくその意味は分からなかった。よく見ると、一番目の女もそうだったが、なんと彼女の目には眸がなかったのだ！

私は特に二番目の女性に魅かれるものがあった。最初の女と同様にほっそりした体つきだが、より情味が感じられる。眸のない目でじっとこちらを見る様子は、いかにも言問いたげで、物言わぬ唇にはほんのりと紅をさし、かすかに微笑さえ浮かべていた……

夢の幻想性は毎度のことながら、これはまた一段と不可解である。けげんな思いで階下に下り、道路に面したガラス戸を開けて、息を呑んだ。味気ないコンクリート製のバルコニーの右端に、クーラーの排出口ボックスが置いてある。その右側の狭苦しい片隅に、二匹の子猫がうずくまり、じっとこちらを見上げているのだった。

生後まもない、黒と白のぶちの二匹の釣りあがったその目を見て、はっと思った。夢に顕われた二女性のやや釣りあがった目は、これだったのではあるまいか。

と同時に、同じく瞬間的に、別のある謎がとけたという思いがした。このほうは、芸術上のことである。モジリアニの絵画に描かれた女たちの薄青い目が、なぜあのように眸が薄いのか、そのわけが分かったように思ったのである。彼女らの裸婦像について、「情熱を感じさせる」と云った批評家があった。それには違いない。しかし、あれは、彼岸の女たちなのだ！

　夢の変形作用によって二匹の子猫が二女性に変じ、かつ、人界に属さざるがゆえに眸（ひとみ）なき目をもって顕れたのであろうか。夢は絵師、天才的な——と心得ている。が、リアリズムではない。象徴主義である。あの眸なき二人の女は、人間とは交信不可能の異界の者たちなるがゆえに、点字の浮き出た私の掌に自分たちの掌をかさねる表現法をとったのかもしれない。

　師走の早朝の冷気の中で、和毛（にこげ）をかすかにふるわせている小さな二匹の頭上で、私は、そっと自分の両手をかかげて掌を見た。もちろん、何のレリーフも浮き出てはいない。

しかし、と胸につぶやいた。そうか、おまえたちは、順にその小さな前肢を俺の手にかさねて挨拶してくれたのだな。三味線こそ弾きはしないが、しなやかな着物姿で、まえもって、宴の席に侍ってくれたのだな——と。

二匹は牝であろうと直観した。というよりも、それほどまでに夢を信じたということである。実際にそのことは一年後に証されることとなる。どっちも、お母さんとなったからだ。

鼻のところに黒の斑点のかかったほうを、「ノラ子」、もう一方の黒の勝ったほうを「クロベエ」と呼ぶことにした。クロベエは、蹠まで真っ黒だった。ノラ子は、しっとりと落ちつきがあり、一瞥して、これが二人目の女性に化身して顕れたほうに違いないと思った。

クロベエがずんぐりと大きめで、ぼんやりしているのに比べて、ノラ子は軽小ですばしこく、頭もよさそうだった。そして不思議と私に愛着を示した。ただ、二匹とも性根は野良猫で、ぜったいに懐くことはなかった。一線をこえないのだ、残念なことに。餌つけをするのがいまや私の娯しみとなっていたが、じかにやろうとしても、口で食わえて奪いとることはあっても、手の上で食べるということはなかった。頭を撫でようとすると、はぁっと口を開いて威嚇する素振りをみせる。バルコニーから室内に入ってくることも一度もなかった。

わが家は彼女らにとって、立ち食い食堂のようなものである。朝夕、どこからともなくそろって顔を出すと、終始こちらを警戒しながら食べるものは食べ、どこかへ消えていく。周囲の「トーチカ」集落には私のことをどこからか監視している暇人もいるようで、「ノラ猫に餌をやること厳禁」と書いた紙片を投げこまれたりしたこともあった。が、素知らぬ振りをした。彼女らは、異界からの使者なのだ。

松飾り一つない殺風景な正月を迎え、桜の頃となっても、野良猫亭は休業なしで続いた。しかし、食い気だけで来るのかというと、少くともノラ子だけは私の気配をどこかで察知しているようであった。家を出て道路を横切っていった先に公園があり、そこの木立に囲まれた芝生で体操のまねごとをして腕を振っていると、いつのまにかノラ子が斜め右うしろに来て、ひっそりと坐っているのだった。ノラ子だけが来て、クロベエは来たことがない。犬と違って猫はかならず後方からやってくる。それにしても、お傍にいますわよとばかり控え目にしている様子がしおらしく、勝手に私は光景を擬人化して楽しんでいた。

大学の勤めを終えて帰ってくると、まるでその時間を知ってでもいるかのように先回りして玄関近くまで出迎えてくれるようになった。ちょっとした忠猫ノラ公だ。変な女房より、よほどましである。だが、どんなことがあっても、相変らず、ちょっとでも撫でさせてくれない。手が延びると、すぐ威嚇の牙を剝く。これでは高嶺の花の花魁（おいらん）だなと苦笑した。ところが、そのうちに、とんでもない光景を目にした。

青葉のころ、何か所要があって真昼間に、隣家の村松剛教授邸を訪ねた。拙宅を出ると、右手後方に村松邸の玄関があるが、庭から回って、ご免くださいと声をかけた。すると、なんと縁先に四、五匹の猫が長々と寝そべり、その中にノラ子もクロベエも入っている。そして、だらりと二倍ほどにも延びきったその背筋を、若奥さんが丹念に撫でているのだった。

私は、驚くというより、ぞっとした。にわかに自分の目を信じがたかった。竹本亭では屋台にでも立ち寄るように毎日食いにだけ現れて、首すじ一つ撫でさせないのに、村松亭ではサウナにでも入ったかのように、のうのうと寝そべって撫でまわしてもらっている。

だが、こっちの動揺には気づかぬ体で、歳に似合わぬ落ち着いた声で村松夫人はいうのだった。

「人間に撫でられると気持がいいということを、猫たちもわかったでしょう……」

『高野聖』で云われそうな科白である。正直、私は薄気味悪かった。大げさにいうつもりはないが、私にはその云いかたがちょっとしたウィッチのそれのように聞こえたのである。だって、そうではないか。あの過敏症の、警戒心むきだしのノラ子までが、人の来たのも知らぬげに、半眼を閉じて夢心持のさまなのだ。四、五匹もの近所の野良猫が、まるで魔法にでもかかったように、毛むくじゃらの干物にでもなった恰好で、ごろりと横になったままぴくりともしない。

こっちの当惑に依然、気づく様子もなく、撫でる手は休めずに、夫人はこう続けた。

「この子だけは」とノラ子を指して、「竹本さんが帰ってくるのを知っているみたいなんですよ。いつも、こうしていても、急に起きあがって、お宅のほうに一散に駆け出していくんですの」

そのご主人さまがお立ち寄りなんだぞと、ますますこんぐらかった思いでしどけない愛猫の寝姿に見入った。これは、撫でるなんてものじゃない。魔法にかけられているんだとの思いを嚙みしめながら。

筑波入りする少しまえに村松剛と新夫人の結婚披露宴に呼ばれたときのことが思い出された。薬師寺管長の高田好胤、石原慎太郎など、少人数のシックな会だった。新婦は「まほろば会」の活動をしていて村松講師と出遭ったとの紹介がされた。みんな眩しげにその姿を探したが、部屋の片隅に、新郎の二人の若い連れ子の息子さんと並んで無表情に立っている姿を見て、ほほうといった声が洩れた。どうみても、三人兄妹にしかみえなかったのである。

遠藤周作が祝辞を述べた。

「順子という名前の女性は、いいですぞ。僕の女房もジュンコですから」

みんな笑ったが、順子夫人は、固くなっているのか、にこりともしなかった。

続いて石原慎太郎が口を開いた。

「村松さんは天才的な人です」と、まず持ちあげる。それから、おちょくった。「一緒に中東に行ったときでしたが、ホテルに夜の姫君たちがノックしてくる。村松さんのところにも回っていったが、どうなったかは知りません」

みんな、また笑った。慎太郎は、いたずらっぽく唇をゆがめて順子さんのほうを眺めたが、色白の顔は、冴えたままで、さすがの冗句も春風ほどにそよいだ気配もなかった。そんな印象しか持たされなかった新夫人が、別人のようにここでは生き生きとして、野良猫集団を手なづけてしまっているさまを見て、私はぎょっとしてしまったわけである。藤田嗣治の描いた、愛猫乱舞の図を思い出した。同じ画家の筆になる、あのパリジェンヌのように不思議な微笑さえ浮かべて……

猫というのは、こんなに早く子をつくるものなのだろうか。
私の記憶ちがいでなければ、一年と経たないうちに、晩秋のころ、ノラ子もクロベエも揃って大きなお腹をかかえてやってきた。いまさらながら私は自分の夢の予知力を信ぜずにはいられなかった。

そのうちに、ノラ子だけが、どこかで出産をすませたらしく、腹をぺちゃんこにして戻ってきた。庭からベランダに飛び乗り、物云いたげにじっと見上げる目に哀れをもよおして、こちらもじっと見返して、声に出してこう静かに語りかけた。

「そうか、そうか。おまえは赤ちゃんを産んだのか。よかったなあ。いいからここへ連れておいで」

ノラ子は一声、にやあと啼くと、「八重むぐら」に姿を消した。しばらくすると、赤子を一匹、口にくわえて戻ってきた。そしてもういちど姿を消すと、二匹目をくわえてきた。いつも置いてある餌箱に牛乳を入れてやると、自分も空腹だろうに口をつけず、赤ん坊たちに飲ませて、そっと掻き消えた。その様子が、妾(わたし)までお世話になりましては申し訳ありませんというふうで、いっそういじらしかった。

それがノラ子を見た最後となった。一週間後、ノラ子が轢(ひ)かれて死んだという噂が伝わってきた。村松順子さんがどこかから聞いてきたらしい。それによると、ある朝、ノラ子の死骸が、やや離れた道路の中程に横たわっていたという。そこは、並木町バス停の手前で、いつも私が湯浅邸を訪ねていくときに横断する場所だった。ノラ子は「自殺」したのだと私は思った。いまでもその思いは変わらない。

数日後、ノラ子の忘れがたみ、二匹の子猫のうちの一匹がテラスで死んでいた。早朝、開け放たれたばかりの空の下で、夜来の雨に濡れそぼって。

顔の上半分が黒い、しっぽの先が円く短くちょんぎられたノラ子と、まったく同型の肢体で、ノラクロと私は名づけていた。もう一匹の子猫——シロチョビと呼んでいた——とともに二、三日まえから姿を消していたので、野良猫修行の旅に出たのかと思っていた。そんな旅があるのかどうかは知らないが。

このシロチョビが帰ってきていない。やはりどこかで行き倒れになっているのかもしれない。私はこの子猫のほうをずっと可愛がっていた。ほとんど銀色にみえるほどの真っ白な毛が見事に光っていて、性質もノラ子に似ておっとりしていた。顔は、おそらく彼らの父親であるシロ化け——と名づけていた——に似て不細工だったが。シロチョビが死ぬと、これでノラ子の血統は絶えたことになる。せめてこのちびさんだけでも生きていてほしい……。

その朝、私は夢を見て自分の死を考えていたところだった。夢の中で、もう一つの夢から覚め、狭い部屋の中で布団にくるまって、何か密度といったことを思った。死を前にしたとき、いのちは、密度としてしか意識されえないのではなかろうか、などと。そしていつもより早く六時に起き出して、ガラス戸を開けたところ、死と出遭ったというわけだった。ただし、自分のではなく、子猫のそれの――。

ノラ子を葬りたいと思い、湯浅邸に行く道筋に死骸を探したが見つからなかった。そこで庭の一隅に穴を掘り、ノラクロだけを埋めた。口から泡を吹いて死んでいたところをみると、かねて私の所業を快からず思っていた近隣の誰かに毒でも盛られたのであろう。薄のひとむらの間に小さな平石を立て、マジックで「野良塚」と書いた。右側にノラ子、左側にノラクロ、そしてもう死んだものと思い、早手回しにシロチョビの名をも。十年後、私の退官時に、現状復元の契約に従ってそれは掘り起こされ、捨てられてしまうであろう。

一年たらずの「異人たちの夏」は終わった。

以後、モジリアニの絵に対する私の見かたは変わった。

小泉八雲の読み方も。「雪女」も、「をしどり」も、真実なのだ、もちろん。

日本では、彼岸は、きっと、自然と一体なのだから。

第七章　「五人の明美さん」＋1

二十八年ぶりの原点回帰

似たような出来事が続いて起こったとき、それは偶然に抗するといえるだろうか。人生にとってどうでもいいようなこんな問いが、賭博師や保険会社にとってはともかく、まさか自分にとって真剣に課されてくるとは思いも寄らなかった。

事の発端は、筑波越えから三年目の一九八七年に、「明美さん」という名の三人の乙女の、同日のうちの華々しい登場にあった。三人が三人とも、強力なマラソン・ランナーとして、である。このことは世間の注目を引き、私の好奇心をも掻き立てた。すると、すぐそのあとで、別の二人の「明美さん」という、同じく若い優れた女性が、このほうは同日に傷ましい死をとげた。これもまた新聞のトップニュースとなり、人々の耳目を奪った。

併せて「五人の明美さん」の出来事は、まったく互いに無関係でありながら、同一の名前と事件の類似性から、さながら連続性を持っているかのように私の目には映じたのである。大学の講義でも取りあげた。五人のヒロインは、いずれも輝かしい未来を約束された素晴らしいお嬢さんたちだった。中でも「仲田明美」は、重い心臓病のため、米国からのドナーを待ちながら悲劇的死をとげたことで、広く世間の同情を掻き立て、また国内での臓器移植の認可の促進という大きな貢献を果たした。

世にいう「明美ちゃん基金」とは、従って、そこから創設されたものとばかり私は思いこんできた。

そして一度は、どうしても、「五人の明美さん」という題で問題を煮詰めてみたかった。

そこで、この「筑波篇　第七章」をそれに当てることとし、これまで大事に持ち歩いてきた資料を新たにぜんぶ読みなおしてみた。そして大学での講義の光景から書きはじめて、数日経った今日、西暦二〇一六年六月十五日現在、産経新聞を見て、驚きで電流が走ったのだ。

まず、同紙の一面トップに、「舛添都知事辞任」の見出しがでかでかと出ている。ところがそのすぐ下に、「難病の子供161人を救う明美ちゃん基金設立50年」とあったのである。

最初は、あゝ、やはり、「仲田明美」の死は無駄ではなかった、そこから設立された「明美ちゃん基金」がこれだけの貢献を果たしたのだと受けとって、感動した。しかし、待てよ、「設立50年」とあるのはおかしいと気づいた。ドナーを待ちきれずに仲田明美さんが亡くなったのは、いまから二十八年前だ。とすると、それよりさらに二十二年もまえに、ほかの明美さんがいたということになる。まさかと思いながら、記事の詳細を後のほうの紙面に探すと、見開きいっぱいの大特集記事が見つかった。その見出しの一つに、なんと、「原点は松本明美さん　現在、看護師として活躍」とあるではないか。「松本明美」という名は、私にとって全くの初耳だった。

それまで私の考えてきたことは、こうだった。

「五人の明美さん」の中に、おそらく一人の取りわけ求心力の強い女性がいて、その見えない意思が連続性の作因となったのではなかろうか――と。その一人とは「仲田明美」であろうというのが、私の推理だった。二十八年前の新聞切り抜きには、痛々しい酸素吸入器の下から笑顔で手を振る彼女の写真が載っている。当時は、「仲田明美」の日記までテレビで紹介され、生きようとするその峻烈な意思に人々は感動させられていた。それほどの思いは死線をこえて一念として生きつづけ、連続性を引き起こすこともありえたのではと、私は考えさせられたのだった。

しかるに、今日、突如として現れた新聞記事を見れば、六人目の、というより、いちばん大元の「明美さん」がそれより以前に他にいたということになる。しかも、いまなお五十五歳で存命で、看護師として活躍中と報じられている。にっこり笑った、愛くるしい白衣すがたの写真まで添えられて。

見出しには、まるで私の無知をたしなめるかのように、「原点は松本明美さん」と打ち出されている。「原点は」という語句に、目は釘付けになった。それはまるで、原点は「仲田明美さん」であるとこれまで思いこんできたこちらのエラーを正すべく書かれたかのように思われたのである。

なぜいままでこんな錯覚をしてきたのかと考えてみた。

その理由はすぐ分かった。

鹿児島県に住む当時四歳の女児、「松本明美」(旧姓、伊瀬知明美)ちゃんの心臓病が、「貧しいがゆえに死なねばならぬのか」との産経新聞の記事によって人々を動かしたのは、一九六六年(昭和四十一年)六月七日のことで、それは私のパリ留学三年目のことだった。記事が出てわずか一週間後には、全国から寄せられた寄付金で、たちまちにして「明美ちゃん基金」が設立されたという。三ヶ月後には明美ちゃんは東京女子医大で心臓手術を受けることができた。そして基金による救済は、インドネシアをはじめ世界の多くの子供たちに及んだのだが——本日の同紙紙面にはその中の五十人もの可愛らしい子供たちの顔写真が並んでいる——、外地にあって私はまったくそうした出来事を知らなかったのである。(私の講義を聴いた学生たちも、「明美ちゃん基金」が出来たころの生まれだから、当然、この発端を知ることはなかったはずだ)

そこに、それよりずっとのちに起こった「仲田明美」の死が「明美ちゃん基金」のきっかけとなったと勝手に思いこむ誤解の元があった。

それにしても、シンクロニシティには慣れっこになっている自分も、さすがに今日の暗合には驚かされた。

京都でキュブラー＝ロス女史が語った「自らの霊的部分をつねに開発していれば必ずシンクロニシティ現象が起こります」との言葉が思い出される。二十八年ぶりに私が「明美さん」連続性のテーマで書きはじめた本日二〇一六年「六月十五日」が、「明美ちゃん基金設立50周年」に当たっていたのも、そんなところに原因があるのだろうか。

筑波越え以後、シンクロニシティどころか、このようなスーパー・シンクロニシティともいうべき現象が我が身に増えていったことは確かである。このほかにも幾つかのスリリングな例を体験することとなった。「第六巻　秘声篇」で、ルイ十六世のテュイルリー王宮脱出にかかわる信じがたいエピソードを語ることとなろう。

実は、そのような心持ちがあればこそ、すでに筑波越えのあの時期において私は「五人の明美さん」を大学の講義に持ちこもうとしたのだった。ところが、きょう、「松本明美」の出現によって、それは、プラス1——全部で六人となった。「明美ちゃん基金50年」記念日にこの暗合が生じたということは、あのときのことをもういっぺん考えなおせとの暗示かもしれない。何かが地下水の突然の噴出のように見かけの平板を打ち破った。そう考えてはならないだろうか。

「なぜ類似した事故が……」

あの日は大荒れの一日だった。

まず、午前十一時、震度5の地震があった。大学院のあるゼミの教室で、大浪に乗ったような横揺れが来た。学生の何人かは素早く机の下にもぐりこんだ。こっちも立っていられないので、教壇にへたりこんだ。

午後は冷たい強風が吹き荒れた。その中を、吹き飛ばされそうな格好で中央広場を突っ切り、第一学群の階段教室に向かった。筑波入り以来七年間、一貫して受け持ってきた「現代思想」講座で、二学期のテーマは、ずばり、「偶然と連続性」だった。その日——一九八七年十二月十七日——、たった四日まえに起こった新鮮な事例、「三人の明美さん」を用意し、学生の受けはどうかなと興味津々だった。これを元に、少しく自分の思想を纏めて語ろうとしていた。

階段教室は、年末のせいか、いつもより聴講者が少なめだった。二十七、八人であろうか。

「この春、この講義を始めたときに」と口を開いた。「あるノンフィクション作家の言葉を引用したが、覚えていますか」

五、六人が手を挙げた。真ん前に坐った、度の強い眼鏡をかけた男子学生に当てた。彼はマスコミ就職を希望している。この講座を休んだことはない。

「先生は柳田邦男の言葉を引用されました。なぜ類似した事故が集中して起こるのかと、こういう疑問でした」

そのとおりと私は満足して応じ、ファイルから切り抜きを取り出した。これがそのときの某週刊誌の記事だがと前置きして、

「ソ連のチェルノブイリ原発事故に続いてソ連の原子力潜水艦が火災を起こして沈没し、つぎはアメリカのプルトニウム溶液貯蔵タンクが核爆発寸前まで行った事実を挙げて、柳田邦男はこう書いているのでしたね」

と述べ、そこのところを引用した。

《事故は連続して起こると、よくいわれる。実際、航空事故にしても鉄道事故にして

も、あるいは石油化学工場や原子力発電所の事故にしても、なぜか類似の事故がある時期に集中して起こることが多い。なぜ連続して類似事故が起こるのか、その原因は必ずしも明らかでない……》

一同の集中力が高まってくるのを見て、言葉を続けた。

「ジェット飛行機や新幹線事故、大韓航空機撃墜事件など、カタストロフィものを手がけては右に出る作家はないだけに、この問題提起は迫力を持っています。この作家の、私はいい読者というほどではないが、たとえば癌病棟で死生を問うような本質的姿勢には敬意を抱いてきたので、この疑問一つにも合理主義に留まらない深みからの声を感じるのです」

ここでトーンを変えて質問した。

「ところで、ついこの三日前に世間で評判になった二人の明美さんの話を誰か知っていますか」

奥のほうの席から二人の手が上がった。みんな新聞を読んでいるのだろうか。どんなことでしたかと私は尋ねた。おずおずと女子学生が答えた。

「駅伝で優勝した二人の女性が、どっちも明美という名前だったということです」

私は頷いて、別の新聞の切り抜きを取り出して一同に見せながら云った。

三日前の十二月十三日に、岐阜県で全日本実業団対抗女子駅伝が行われ、「増田明美」という二十三歳の日本電気のOLが、花の4区と呼ばれる十キロコースを八人抜きで走った。33分35秒という好タイムだった。ところがその途中で、さらに彼女を追い抜いていった選手があった。それはニコニコ堂の十九歳のOLで、「松野明美」という名だった。二人目の明美さんは、なんと十二人ものごぼう抜きをやってのけ、タイムを一分あまりも短縮したという。

ここまで語ると、

「増田明美さんは」と、同じ女子学生が言葉を挟んだ。「一九八四年にロサンゼルス・オリンピックで女子マラソンの日本代表だった人で、松野明美さんも長距離ランナーとしてけっこう知られています」

「そうか、ありがとう。君はよく知っているんだね」

「いえ、私も、陸上をやってきて、インターハイにも出たことがあるものですから」

「増田明美」の名ぐらいは、私も聞いていた。一九八〇年代には彼女は日本女子マラソンのホープだった。二〇一〇年代の現在では、愛国心と知性あふれるスポーツ・ジャーナリストとして活躍している。愛読書が『五輪書』というのも振るっている。

「松野明美」のほうは、三年後、ソウル・オリンピックに一万メートルの日本代表として出場する準備を着々としてととのえているころだった。現在では熊本県議として鳴らしている。そのような輝かしい未来の二女性が岐阜の駅伝で周囲を圧倒する競り合いをみせたのだから、メディアが騒いだのも無理はない。

「同じ明美、と新聞は書いているから」と言葉を継いだ。「勝負だけでなく、記者の念頭に、多少は偶然に対する好奇心がはたらいていたのかもしれません。世界のレベルから大きな遅れをとった日本の女子マラソン界にとって、《復活の明美》と《新鋭の明美》に、いま、大きな期待がかかっていると、こういう書きかたをしていますからね」

こう云って私は、二人明美が、にっこり笑って手を取りあっている写真を、もういちど学生たちに振りかざしてみせた。

雛壇のような階段教室の幾つかの顔がぱっと明るくなったのに気をよくして、話はこれで終わりではないのですと続けた。ここでもう一枚の写真を取り出して目の前にかざした。そこには別の二人の少女がランニング姿で、たがいの手首を紐で結びあわせて笑っている。

「これは、まったく同じ日に、しかしまったく違う場所で行われたマラソン大会で撮った写真で、この右側に映っているのも、明美さんというのです……」

へええという声があちこちで起こった。中には身を乗り出している者もある。だいぶ

興味を持ってきたなと感じて、教師は勢いづいた、

「蒲生明美さんといって、神戸在住の二十歳のお嬢さんです。生まれながらの全盲の身なのに、しかもハワイまで出かけていって、ホノルル・マラソンに参加したのです。こうして妹さんと手首を結びあわせて、しかも猛烈な風雨の中を五時間四十三分もかけて完走したそうです」

教室中が粛然とした。

「明美さんが二人そろったときには面白かったけれど、三人となるとちょっと違うでしょう。偶然という概念はぐらついてきますからね。同じ日に女子マラソンのヒロインが三人現れ、その名はみんな、明美さんだった。しかも、岐阜とホノルルに分かれて――。そして三人とも二十未満の、美しい、知性と生きる勇気の満ちみちた素晴らしいお嬢さんたちという共通点を持っている」

一拍置いて、奥の高い階段席のほうまで見回して云った。

「さあ、こういう事柄が、科学的というのが云いすぎなら、少なくとも思索上の問題となりうるか否か。これを偶然と連続性という本講座のテーマから考えてみたいというのが、今日の主旨です」

その日は次週の分まで二度分の講義の時間を取ってあった。

問題は、自分の内的体験とむすびつけて、どこまで現実の事象を語りうるか——であった。

寺田寅彦と「唯心論者」

高窓に強風が音を立てて鳴っている。暗々と曇った空からは水滴が落ちて、窓硝子を打ちはじめた。

教壇をしばし行きつ戻りつして、どこから本題に入ろうかと頭を回らしながら私は口を開いた。

「パスカルが『パンセ』でこう云っていますね。二つの顔が並んでもおかしくないが、似た顔が並ぶと人は笑う——なぜか、と。これはわれわれの主題とする問題の本質に触れています。最近、テレビで、そっくりさんゲームというのが流行っているでしょう。パスカルのいうとおり、似た顔を二つ並べてみんなで大笑いするというあの番組です。しかし……」

ずらりと一同を見渡してから云った。

「……もしも似た顔が三つ並んだら、それでも笑いますか。むしろ、不気味になるんじゃありませんか」

あちこちで頷いている。

「偶然は、おかしみも誘えば、気味悪さもひきおこす。小泉八雲の短編に、『墓はいつも三つ』というのがあります。べつだん、怖いストーリーでも何でもないが、標題だけでどこか薄気味悪い。ところで、世界の作家の中で、偶然ということをいちばん利用して名作を書いた作家は誰だか知っていますか」

「はい」と中程の席から男子学生が手を挙げた。「ポーです」

「うむ、よく知っているね。たとえば、どんな？」

「『アッシャー家の崩壊』です」

私は感心した。たしか、作家志望と聞いているが、よく読んでいるのだろう。

「たしかに」と応じた。「エドガー＝アラン・ポーは、偶然を、おかしなもの、不気味なもの、恐ろしいものなどに分類しています。怪奇とは、自分自身と、時空をこえて別のあるものとの間にコレスポンダンス（照応）が起こる――偶然によって――ことであると、彼はその秘密をつかんでいたのです。薄気味悪いほうのコレスポンダンスが極まると、いかに恐怖を誘うか、そのことによって『アッシャー家の崩壊』は永遠の傑作となった……」

「ポーは、怖いだけではありません。美しいんです」

学生は、右の額に垂れ下がった長髪を勢いよく後ろに撥ねあげて反応した。ちょっと怒ってさえいるようだ。そこで我が意を得たりとばかり、声を強めて云い切った。

「事ほど左様に、偶然は、文学のジョーカーなのです。いかにその切り札を使うか――」

聞き手は一斉に筆記の手を動かした。

「しかし、そのぶんだけ、科学にとっては敵となる。つまり、科学は、偶然と非合理を同一視して、それを排除しようとする……」

「神はサイコロ遊びをしない、ですね」

長髪学生、いよいよ乗ってくる。

「たしかに、少なくともいままではそうだった」

と私は満足の笑みを広げて応じた。

「われわれは誰しも、学校教科書で寺田寅彦の随筆を読まされた覚えがありますね。この明治・大正の地球物理学者は、科学と文学を調和させようとしたということでも有名です。その意味では、本学でわれわれのやった《科学・技術と精神世界》の先駆者ともいえそうです。しかし、彼にとっては、非合理は肯定すべきものではなかったらしい。連続性は疑わしいものだった。満員電車はなぜ続いて来るかと考えて、合理的にこれを説明することができた。しかし、可愛がっていた猫のミケが死んだら、その一ヶ月後に塩原の宿屋の縁側にそっくりなのを見つけて驚き、こんどは別のチビというのが死んで、そのあと仙台の知人宅を訪ねると、そこの子猫がまったく生き写しなので、これまたびっくりする。そこで冷静なる科学者として寅彦先生、これは死んだ猫の影像が眼前の生き物に吸収同化された結果だと自己分析して安心しています。これなども、まあ、たしかに心理学的に片付けられる問題といっていいでしょう……」

こう話しながら、ブエノスアイレスでの体験がちらと頭をよぎる。あのときのユング派分析医のカイザーリング伯の分析によれば、それはやはり私の内心の投影にすぎないものであった。

「しかし、さすがに寺田寅彦は」と言葉を継いだ。「さらにしつこく追求しています。あるところの屋上から互いに無関係な三、四人が、続いて飛び降り自殺した。ここに連続性を認めうるや否やと問うのです……」

筆記の手を休めて学生たちは考える様子である。

君はどう思うと、二、三人に質問した。

「連続性はないと思います」と口々に返事が返ってきた。長髪学生はと見たが、黙考している。

「これに対して、寺田寅彦自身は、実に興味深い判断を下しているのです。《自分の頭の中でちゃんと一つの鎖でつながれている》と、こう云っているのです。われわれの関与によって連続性は成り立つということを彼は見抜いていた。連続性は、われわれの中にあり、と。しかし、それでは科学にならない。では科学者としての寅彦のポジションとは何かといえば、同じ随筆――《猫の死》と題されている――の先のほうでそれを明らかにしています。屋上からの連続自殺を知ったあと、寅彦は、死んだ四羽の小鳥（十姉妹）を掌で暖めている女性と行き遭います。まあ、大先生自身、なぜか、いろんな事件に連続遭遇しているわけですね……」

笑いが洩れた。

「……そこで、けげんな面持ちをすると、その女性からこう云われた。だって、人間が死んだらお経をあげるのと同じじゃありませんか、と。こう聞いて地球物理学者が下した結語が示唆的なのです。彼はこう書いています――《こういう唯心論者もまだ少しはいるのである》と」

外はますます風が唸り声をあげ、叩きつけるような雨音も高まってきた。この調子では、中央広場がプールのような水びたしとなって、みんな、帰りは立ち往生だなと雑念が浮かぶ。気がつくと、テーブルを離れて、また教壇の行きつ戻りつを始めていた。考えの区切りにそのように立ちあがって歩く癖が長い教師生活の間に身についていた。

「いま引用した二つの随筆は」とふたたび口を開いた。「大正十一年（一九二二年）に書かれています。いわゆる大正リベラリズムの真っ盛りのころです。科学とは西洋的合理主義の勝利の証でした。しかし、実際には、まさにそのころ、世界観の大変動が起こりつつあったのです。ロシア革命をひきおこした弁証法的唯物主義と、量子力学的世界観です。前者によれば精神とは物質であり、後者によれば世界は偶然と不確定性に支配された定点なきものでした。まったくの対立的な世界観が同時に革命的に尖鋭化した。量子力学のことはさて置いて、唯物主義的な精神の定義は、こうです――精神とは物質のとる極限の形態である、と」

突然の話のモード転換に、戸惑う聞き手もいるようだ。が、多くは、より熱心に聞き耳を立てている。

「物質の側から精神を定義すればそうなる、ということです。ここから、ソ連では、逆に、いま現に、仏教とは唯心主義的物理学なりという見かたも行われているほどです。寺田寅彦のいう先ほどの唯心論者という言葉は、ほとんど迷信の信者と同義語でしたが、ソ連では迷信も唯物主義的に読み替えられて一面の真理となりつつあるということです」

こう云いながら、新たにファイルから切り抜きを引き出し、前と同じ平板な口調に戻って云った。

「連続事件ということは、われわれの日常生活の周辺に絶えず起こっています。連続殺人事件なら、ミステリー番組で、毎日、一つや二つは、お茶の間にテレビから流れこんでいる。いまや、寺田寅彦の時代には想像も及ばなかったような大規模な事件や事故が連続して起こっています。個々の出来事を漫然と見ているかぎりでは気づかないが、ちょっと注意すれば誰でも分かることです。たとえば、今日は十二月十七日だが、ほんの一月ちょっとまえに、三つの似たような航空機の墜落事件が続いて起こりました……」

こう云ったとき、右手の窓ぎわの女子学生の目に強い光を感じた。彼女は一学期に好いレポートを提出している。私は切り抜きを手に続けた。

「先月、十一月二十八日に、乗客百五十九人を乗せた南阿航空がインド洋のモーリシャスに墜落した。その二日後、乗客百五十人を乗せた大韓航空機がバンコク寄りのタイ・ビルマ国境付近で墜落した。(後者は行方不明だったが、残骸がようやく見つかった)。そして今月、十二月九日には、ロサンゼルス発サンフランシスコ行きの通勤ジェット機が、乗客四十四人を乗せて墜落したばかりです。なお、大韓航空機の場合は、北朝鮮の仕業かと取り沙汰され、アメリカのサウスウェスト機もテロによるものかとの噂がありますがね。そこで問題はこうなります。もしすべてが赤軍派による同時多発的犯罪でないとするならば、なにゆえわずか十二日間に、これら三件の事故——特に南阿航空機と大韓航空機のケースは類型的です——は続けて起こったのか、と」

　ここで問題を最初のレールに引き戻したつもりだった。

「柳田邦男の投げた疑問が思いだされるのは、ここです。《なぜか類似の事故がある時期に集中して起こることが多い》と云ったあと、《なぜ連続して類似の事故が起こるのか、その原因は必ずしも明らかでない》と結語しているのでしたね。百人もの死者を出す同類大事故の連続ともなれば、似た猫が何匹も現れたという類の事柄とは重要性が比較になりません。三人の明美さんについてもそうですが、こうしたことに問題性を認めるのは、単に唯心論者の世迷い事にすぎないのか、どうか。寅彦から百年後のわれわれの時代はどう考えるか、ここからが本題です。十分間休憩ののちに、その続きを考えることにしましょう」

ルネ・トムの「カタストロフィ」

「似たものが、ということは、類型ということです」

学生たちがふたたび席に着いたのを見て、こう再開した。

「似た顔が二つ並ぶ。同じ名前の、似た年頃の乙女が三人、同じ日にマラソンのヒロインとなる。同じ建物の屋上から三、四人、女性が飛び降り自殺する。本質的には互いに無関係の同類事象の継続に対してわれわれは連続性を認めたがるが、それは錯覚であろうか、それとも何らかの意味があるのだろうか――」

私は、よほど、自分の実人生から例を引きたかった。繰りかえされる彼岸――と思っている――からの信号。さらには、顕現現象。あたえられる謎と、次にあたえられるその謎とき。最初は、そうしたことはすべて偶然のいたずらかと思っていた。しかし、いまや、連続性としかそれを呼びようがない。四歳児のときに見た終末的啓示の夢から、最近のヤマトタケルの夢に至るまで、どれも正夢として実証されたシンクロニシティ的体験をぜんぶ数え立てたところ四十三件あり、それを「元型の星座」と呼んで目下整理に取りかかっている最中である。こうした克明な分析結果から、全体として、それらは連続性を持ち、それらは偶然ではないことがほぼ明らかであるというのに、なにゆえ、いまここで率直にそのことを語りえないのであろうか。

ここが、いっそ、教会だったなら……。そうしたら、告白という手段もあろう。

だが、教壇は、説教壇ではない。

大学は、告白する場ではなく、証明する場である。知が信に先立たねばならない。信があって悪かろうはずがない。だが、それが口をついて出てくるときには、「われ」は消え、システムかセオリーになっていなければならぬ。

だがそれそのものが、パラドックスではなかろうか。

「われ」の関与あればこそ客観的出来事の散乱が連続性として意味を持ちうるのであるならば、「われ」を語ってなぜ悪い？

いまやドラムを叩くように激しく窓を打ちつける風雨と同調するかのごとき、心臓の鼓動の高まりをおぼえて、思わず私は立ちあがり、髪の毛を掻きむしって、よろめいた。喉がからからになり、水を飲みたいと思ったが、講演会場と違って水差しのような気のきいたものは置いてない。代わって、ごほんと体裁をつくって咳ばらいをし、そのまま口にあてた拳を開いてマーカーを握り、白板の前に立った。何か書こうと思ったが、何も出てこない。

どう語るべきか。先生だいじょうぶかといった学生たちの視線を感じて、ようやく口を開いた。やはり、「われ」は出てこなかった。

「……これが、出来事ではなく、形態に関することであれば、ずいぶんと研究は進んでいます。発生学から芸術創造に至るまで、なぜ同類の形はつくられるのかという――。遺伝子の発見は分子生物学に決定的勝利をもたらしました……」

学生の中には村上和雄教授の弟子もいれば、芸術学群の若いアーチストもいる。誰とも対話できるように話を持っていきたかった。

「諸君は、この講座で何度か取りあげたホリスティック思想のことを覚えているでしょう。全体は部分の総合以上であるという、あの考えかたです。あるいは、全体の中に部分があるのではなく、部分の中に全体があるという――」

ほとんど全員がこっくりした。

「鉱物の世界で、鉄の磁石を二つに切っても、磁場の特性によって二つの完全な磁石ができるのと同じように、生物界においても、たとえばウニの胚は、半分に切ってもそこから小さい完全なウニが生まれてくる。それはなぜかという問題、つまり部分における全体の復元という問題に対して、時代はＤＮＡの解読という分子生物学的角度から一斉にアプローチしていますが、これに対してホリスティックの角度から迫る別の動きもあるのです。本講座でフォローしているニューサイエンス的観点が、それです。ここ五十年来、そこから、生物学、特に発生学の分野で形態形成場という理論が起こってきました。これを発展させたのが、イギリスの生物学者、ウォディントンです。同じくイギリスの数学者、ルネ・トムが、ウォディントンと協力して、この発展に寄与しました。ルネ・トムといえば、フィールズ賞の受賞者として世界的な数学者で、カタストロフィ理論で有名です。実は、三年前に本学で行われた《科学・技術と精神世界》国際会議に参加していただきました……」

と云いさして、ふと、思い出し笑いで脣がゆがむ。

「これは余談だが、トム先生、大変なヘビースモーカーでね。会議中、あるセッションで議長をつとめ、私が隣席に坐って副議長をつとめたのだが、そわそわして落ち着かないのです……」

強面のその表情が思い浮かぶ。数学者というより、フランス革命の風雲児といったおもむきがあった。

「朝から煙草が切れたというのです。誰か、すぐに買いにやってくれ。さもないと、会議をストするぞと脅すのです。ははあ、これが、先生のいうカタストロフィ、ぶっきれるということなんですねと、こっちは応じましたよ。特異点に立つとはそういうことですか、と……」

エピソードは学生たちの気に入ったようだった。階段教室は一瞬、緊張がほぐれた。

「さて、この大学者は本学において『諸科学を貫く意味の道』というテーマで発表したのですが、その理論は、のっけから、いわば最前の寺田寅彦の考えと対立するようなものでした。ある現実の事象に連続性を見ることは、内的心理の《投影》にすぎないというのが、寅彦の見かたでしたね。ところが、ルネ・トムはいうのです——外界の諸現象に対して何らかの意味づけをするということは、まさに人間中心的な《投影》を行うことである、と。これは、根底において、想像力こそ相似性を産み出す元であるとの世界観から来ています。発表のあとに続いた討論の場でルネ・トムは、分子生物学が嫌いな自分の立場としては、と云い切っていました……」

「それはどんな意味ですか」

三列目に坐った男子学生から質問が飛んだ。彼は農学部から来ていて、まさに分子生物学を専攻していた。日本ではおよそ聞くことのないような端的な反対論を聞いて、びっくりしている。

「ルネ・トムは、君が聞いたら腰を抜かすようなことを続いて云っていましたよ。分子生物学者が操っているような遺伝子情報などという概念は、呪術的なしろものにすぎない、というのです」

質問した学生は、ぽかんと口を開けた。どしんと音を立てて坐りなおし、両腕を組んだ。ふうんと鼻息を洩らした。抗議のつもりらしい。先回りして私は云った。

「ルネ・トムが、そう云ったあとで付け加えた言葉が、なかなかに穿っています。彼はこう云ったのです――むしろ、科学的存在論（オントロジー）をもって、そんなのは一擲するにしかず、と」

聞き慣れない用語で学生たちは面食らっているらしい。すぐに補註した。

「ここでルネ・トムの云っていることは、原因から結果が生まれるという通常の因果律をひっくりかえして、結果から原因が生まれるといった意味合いのことだろうと解します。云い替えれば、物の形を見て、そこからイメージが生まれるのではなく、イメージ、またはイデアが先天的にあってそこから形が生まれるというプラトン主義的な発想です。われわれの常識的科学思想からすれば、鬼子のようなヴィジョンだが、実はこうした逆転の世界観が現代では一つの主流となってきているのです。ユングの元型は、祖先霊が個々人の中に生きていると認めることで、すでに反唯物主義的でした。それは、即、非科学的であるとして、彼は学界追放を受けていますからね。さらにアンリ・コルバンの解くイスラム神秘主義によれば、宇宙には自立した先験的イメージなるものがあり、これを一般のイメージと区別するために《イマジナル》（原像）と呼んでいます。ルネ・トムの場合にはそこまで行かないけれども、物質界から想像界が生まれるのではなく、想像界から物質界が生まれると見ているかぎりでは、これらと同列に立つといえないこともありません。もうちょっと具体的にいうと……」

と云いながら、卓上の白板消しをつかんだ。

「これを一個の鉛の塊だとします。西洋の錬金術師たちは、これが黄金であれかしと強烈にイメージした。その想像世界から、はたして金が生まれたかどうかはともかく、化学が生まれたことは確かです。旧石器時代……いまから数万年もまえに、文化はすでにあった。見事な洞窟壁画を残していますからね。そこには見えない世界が描かれている。現代の研究家の中には、それは原始人がある種の毒キノコを食べてトリップしたからだと云っている者もあるが、そうじゃありませんね。見えない世界を彼らは見て、い、た、というだけのことです。芸術の起源が、そこにある。絵画とは見える世界を描いたものではなく、見えない世界を描いたものであるとマルローは云ったが、これは千古の昔から変わっていません……」

芸術学群から来ている二、三の女子学生たちが頷いている。「学際性」を看板に設立された筑波大学の良さだ。ここからもう一歩出て、文系理系というイリュージョンを取りはずすところまで行けば素晴らしい。そのためにわれわれは筑波越えをやったのだ。

「実は、錬金術や洞窟時代の呪術を例に引いているのは、ルネ・トムです。彼は、チンパンジーの補食をも引き合いに出しています。腕の伸びないところを、棒を使ってバナナを取ろうとするときに、想像がはたらく。広く形態がかたちづくられるのは、見えない想像空間の働きによってであると彼は考えたのです。《科学においては、具体的なものから想像的なものへ進むというよりも、むしろその逆ではないかと思う》と、ずばり反論を呈しています。そのような角度からルネ・トムは、生体の発生学者ウォディントンからの協力要請を受けて、臓器の形成に見るごときある必然の経緯を数式化し、自然という実在の奥に秘せられた意味を探ろうとしたのです。数式化といっても、彼の専門とするトポロジーによるヴィジュアルなもので、ここから、いま云った必然の経路をクレオドと呼んで、それは谷水の走る渓谷の襞のごときものであると考えました。ウォディントンは、それを、後成的風景（エピジェネティック・ランドスケープ）と呼びました」

「ということは、それは結局、決定論と同じことじゃないですか」

分子生物学専攻の学生が手を挙げて質問した。

「たしかに、ウォディントンは、遺伝子を、谷水ではなく一個の玉になぞらえて、それがトポロジカルな……つまり凹凸のある地形を走りながら、最後は収まるべき地点に収まって、形成すべき形態を形成すると、こう考えたわけですからね。その意味では決定論的です。その間、走る玉、遺伝子は、しかし、ある種のポイントにさしかかると、わずかな揺らぎを受けても突然、進路を変えてしまう。それは予測不可能とされています。その意味では非決定論的なので、非決定の要素をもたらすものが特異点であり、ルネ・トムによればカタストロフィだというわけです。カタストロフィ理論を説明するのに彼は崖くずれの例を引いていますが、今朝の地震でも、どこかでカタストロフィが起こったからでしょう。でも、いつ起こるかということは予測不可能ですね」

そのとき、窓外に稲妻が走り、どこか近間に、ずしんという響きが起こった。

「はは」と私は笑って云った。「いつわれわれの頭に雷が落っこちるか分からないようなものですよ」

それから語調を改めた。

「特異点については、私なりに考えていることもあるが、それは三学期にゆずります。今日は学期おさめなので、頑張って、もう少し先まで突っ走りましょう」

阿頼耶識と暗在系

「ルネ・トムとウォディントンの共同作業が意義を持つのは、場という概念にささえられているがゆえにです」

しばしまた教壇を行き来してから、立ち止まって私は口を開いた。最後にどう自分の考えに持っていくかである。

「われわれ人間は、誰しも、見える風景と見えない風景の中に住んでいます。まあ、両棲類のようなものです。後成的風景とは、その両岸に接し、その中を遺伝子という玉が転がっていく。でも、その転がる経路――クレオドは、いちおうフィジカルに彫りこまれています。ところが、ここに、完全に現実から切り離された次元があるとしたら、どうか。現実とは、何より時間と空間とから成り立っている。そこでは時間は過去から未来へと流れ、不可逆的なものと考えられている。しかし、過去・現在・未来が分かちがたく溶け合い、時間が可逆的な領域というものが存在する。いや、そのほうこそ、真に現実的だとしたら、どうか。われわれはみんな、それを持っている。何かといえば、夢、そしてヴィジョンです……」

先生、こんどは何を言い出すのかと、期待と不安の入り混じった反応を感じながら言葉を継いだ。

「夢は五臓の疲れと云われてきました。が、夢こそ真実の現実であり、過現末――過去と現在と未来――が一つになった世界こそが実相であって、それを人間の脳が現実界に翻訳しているのだということがだんだんと認められるようになってきました。ルネ・トムにとっては、夢を中心とする想像界は未分明の相似象（似通った形態をかりにそう呼んでおきます）の宝庫であり、そこから外へと類似形態が、連続的に現れ出てくると考えられていたのです」

話はどうやらつながっただろうか。よし、もう一押しだ。

「こうした考えの中心にあるものは、場の概念です。十九世紀から二十世紀への科学の推移を一言でいうなら、システムから場へ、云い替えれば、因果律から非因果律へ、ということです。東洋人たるわれわれは、因縁、カルマの概念あるゆえに、非因果律的思考には馴れっこになっていますが、カルマが西洋に伝えられたのはかつがつ十八、九世紀のことで、そんな考えは悪魔的迷信にすぎないものとされてきました。だがそれが百八十度回転するに至った。科学のほうから仏教形而上学に近づいてきたのです。ルネ・トムとウォディントンの形態形成場という理論が力を得たのは、こうしたラディカルな変化が背景にあればこそでありましょう。ところが、ここに、同じ形態形成場といっても、完全に時空をこえた次元で存在し、しかもそれは先天的に潜在するという突拍子もない仮説まで飛び出してくるようになりました。諸君も、その名は知っているでしょう。ルパート・シェルドレイクです」

ちらと腕時計を見た。あと一〇分。それまでに何とか結着をつけなければならない。

「蜘蛛が六角形に巣がけすること、鉱物結晶が同型に形成されることなどを引き合いにシェルドレイクはそう主張するのですが、もちろん、これには非難囂々です。英国アカデミーは懸賞金つきでその証拠を募っていますが、いままでのところ該当者なしとのことです。しかし、意外にもこれに共鳴を示したのが、デイヴィッド・ボームだったのです。ただし、ボーム＋シェルドレイク組は、獲得された形態の記憶がルネ・トムにおけるごとく数式的に記述されるという見かたには反対で、そのような記憶は、いったん、ホールネスという総体の中にインプットされるのだという見かたを取ります」

目の前の長髪の文学青年が手を挙げた。

「阿羅耶識が、その総体に当たるとみていいですか。三島由紀夫が『豊饒の海』で追求しようとしたのは、それなんじゃありませんか。あの作品は、四回にわたって二十歳の若者が不慮の死をとげるという、そしてそれぞれが生まれ変わりだという仮説の上に成り立っています。これを連続性と見れば輪廻転生は成立し、そう見なければすべては偶然にすぎないとして崩壊します。最後に、見るだけの人であった本多繁邦がその罰として直面したのは、それですね。先生はどう思われますか。現代科学思想と文学をむすびつけるのはナンセンスでしょうか」

「ナンセンスどころではありません」

と答えながら私は舌を巻いていた。さっきのポーについての見識といい、まるでこっちが考えていることを見透かしたかのように衝いてくる。彼はいったい何者なのだろう。ひとかどの批評家になるに違いない。少々たじたじする思いで応じた。

「そうした橋を架ける行為こそ重要なので、私はこの講義を持っているんですよ。あの大河小説の中で三島は云っていますね。世界は存在しなければならぬ、なぜならそれは阿羅耶識の側からの道徳的要請であるからだ、と。これは、現実を仮象とするホールネス、包括世界があり、現実はそこから咲き出た一輪の蓮華の花にすぎないという、ヒンズー教的な世界観でもあるとともに、ボームの暗在系学説に見るような現代の宇宙物理学的世界観でもあるのです。その意味では文学と科学の差はありません」

長髪青年とともに、何人か、共感の様子で頷いているのは、文系の学生か。反対に、こんどは随いていけないというふうに強ばった表情をしているのは、理系組だ。橋は容易にはかからない。

「思索する人間としてわれわれが最も顧慮すべきは、世界が政治的に米ソ二大国に分かれている根底に、いかなる形而上学的世界観の相違があるかということです。さっき、時間空間の概念について触れましたが、唯物主義弁証法の立場からすれば、われわれが心理的に時間空間と云っているものは主観的体験ではなく、特別な物質の存在する運動形態であるとして定義されているんですからね。また、形態形成場について話しましたが、彼ら——ソ連圏の学者たち——も、テレパシーや念力作用の基盤として一種のバイオ・フィールドがあると認めていることは確かですけれども、そこにはバイオ・グラヴィテーションが働いているといった見かたをしています。飽くまでも物質的にとらえようとするわけで、サイ・エネルギーといった超心理学的見かたはもちろん一擲されています。スプーン曲げ一つにしても、見解は従ってまったく相反するものです。しかし、こうした対立は、われわれ自由圏の学者たちをも両断していることであって、《科学・技術と精神世界》シンポジウムでも準備に当たった本学のわれわれ関係者たちを大いに紛糾させたものだったのです……」

そのために苦しんで、自殺すれすれのところまで行った哲学者もあったんだよと、喉元まで出かかった言葉を私はぐっと呑みこんだ。そんなことを云ったとて何になろう。いまではキャンパスを駆けめぐる山城組の影もない……

「重要なことは、米ソ二大文明圏の政治的対立と、西側自由圏内そのものの科学的世界観の対立とが、どうクロスしているかを省察することです。それともう一つ……」

と、人差し指をぴんと立てて付けたしした。

「日本的世界観がどうかかわるかを知ることです。明治以来、日本は、西洋と対話してきたといっても、西方キリスト教文明を相手にしてきただけであって、東方教会――ギリシア正教――の世界とはほとんど没交渉でしたからね。東方教会の世界はソ連圏となってしまったから、なおさらです。が、ソ連帝国も永遠ではないでしょう。そのとき、東方教会の世界観は、日本のそれとともに新たな意義を発揮するのではなかろうか――最後にそう予言しておきたいと思います」

こう云ってファイルを閉じ、立ちあがろうとしたとき、女性の声が飛んできた。

「東方教会の世界観のどういうところが日本とむすぶとおっしゃるのですか」

見ると、芸術学群の学生だった。

「いい質問です」

と、立ったまま答えた。

「宇宙、をとおしてです。西方キリスト教世界には宇宙が欠けていると指摘されるようになりました。正確にいえば、そこから顕現してくる何物かをヴィジョンとして見る文明ではない、ということです。いっぽう、東方教会は、この幻視の上に成り立っていて、それをイコン（聖画像）として崇めています。幽なるものが顕われる、それを地上の美として愛する――フィロカリー（愛美）と呼ばれるこの東方教会思想は、日本の神道に通ずると、こう云われるようになったのです」

神学論になってはかなわんと、そそくさと帰り支度を始めた二、三人を尻目に、質問者を視つめて私は取っておきのカードを出した。

「見えない世界からの顕現ということは、ピカソをとおして芸術上の大問題となりました。歴史的には、それは、中世ヨーロッパで、ローマ公教会と分裂したビザンチンに始まっています。ところが十九世紀になって、マリア顕現という近世最大のミステリーが連続的に起こるようになり、ルルドのベルナデットが見たように、それは、宇宙の星々につつまれたイコン形式の姿だった。なぜかなと、ピカソは真剣に考えたわけです。ローマ法王庁はどういう結論を出したか――この連続性は偶然ではない、悪魔的でもない、神意の表れであるとして、ルルドを含む七つのマリア顕現地をヴァチカン公認の霊場であるとして認めるに至りました」

雨傘とカバンを持って立ちあがりながら、私は微笑して付け加えた。

「三人や四人の明美さんを、それと同じというわけではありませんよ、もちろん。誤解なきように。私が提起したかったことは、遺伝子からイコンに至るまで、場という概念をとおして、連続性と偶然の問題をどこまで統一的に考えうるかということだったのです」

講義は定刻ぎりぎりで終えた。

建物から出ると、風雨はいつのまにか収まっていた。思ったとおり、中央広場はプールのようになっている。宵闇せまるなか、そこをじゃぶじゃぶと渡る人影を、走る黒雲から洩れる月光が燐光のように照らし出していた。

＊

夜、テレビで『オーメン』を見ていると、遠くから悲痛な猫の啼き声がしてきた。さては、シロチビがまだ生きていたのか。

にゃーにゃーと何度も立てつづけに啼くその声は、もはや前のように遠慮っぽい声ではない。みんな死んでしまったあとに取り残された、たった一匹の挙げる抗議だ。全世界に対する――。

肉切れを持って私はテラスの戸を開けた。どこにも姿はみえない。からっぽの皿――もはやその主たちを失って虚しくコンクリートの床の上に放り出されたままの――に肉切れを入れ、間を置いてもういちど覗いてみた。暗がりに、ぼうっと枯れ薄が揺れているばかり。見上げる空に、強風に天の宝石筐をひっくりかえしたように、ひときわ大きな星屑が光っていた。

さかしまに銀河三千尺……そのはるか下方、陋屋の庭の揺れる薄の根かたに、「野良塚」は隠れている。シロべー、おまえのお母さんと姉さんは、ここに眠っているんだよ……。そうとは知らず、闇の中をさまよいつづける末期のいのちの啼き声が夜通し聞こえてきた。

もう二週間で年が暮れる。だがそれが新たな連続の始まりであると、まさか私は知るよしもなかった。

偶然と連続性

筑波越え四年目、一九八八年の正月となった。

大晦日に土浦の町に出て買ってきた小さな松飾りを玄関にぶらさげた。これで新年を迎えたつもりである。《あら何ともなや三日は過ぎて河豚汁(ふくとじる)》という句があるが、出来合いのおせち料理を三日間食べて、気分もそろそろカタストロフィになりかけた四日目の朝、新聞を開いて全身が硬直してしまった。「サンケイ」社会面に全面記事で「明美さん無念の死」とあるのだ。「心肺同時移植心待ちのまま」「渡米を果たせず適合ドナーもなく」と大見出しが踊り、先にも述べたが、病床に横たわったまま、酸素吸入器をつけ、目だけ笑って手を振る「仲田明美」さんの痛々しい写真がいっぱいに掲げられている。大阪吹田市の国立循環器病院センターから愛媛県の郷里に帰るときに撮った写真とか。病名は、心臓と肺の同時移植でしか助からないアイゼンメジャー症候群という重い心臓病とのことで、「脳死」という壁に阻まれて日本では手術が認められず、アメリカに一縷の夢を託し、友人間に拠金運動が広がっていたさなかでの、惜しみても余りある死であると記事は強調している。

呆然として、テレビのスイッチを入れた。四チャンネルに、ぱっと同じ写真が大写しになった。いつもあちゃらかばかり云っているこの番組のリポーターたちが妙にしんみりして、女性の一人は、残された日記が見つかったと云って、その一部を朗読しながら涙を拭っている。

《I can live even through my death》

《死ぬことも狂うこともできず……》

《死は不幸ではない。希望を失って生きることが不幸である……》

なるほど、凄まじいまでの生存の意思ではある。

そしてさらに翌一月五日に、恐るべき「明美さん」の連続死が起きた。その日の夜九時すぎに、六本木のディスコのシャンデリアが落下して、その下敷きとなって、「溝部明美」という自衛官が亡くなったのである。

この事件を私は翌日の新聞で知って、恐怖で血が逆流した。一面トップに「2トンの照明が落下」、「六本木のディスコ3人が死亡、14人重軽傷」と大見出しが出ていたのだ。そして上段中央に一人だけ犠牲者の顔写真が掲げられていたが、その名は、なんと、「溝部明美さん」とあったのである。

「3人が死亡」とあるのに、一人だけ選ばれて顔写真を出されたのが、「明美さん」なのであった。

貪るように読んだ記事によれば、正月のこととて二百人もが集まって踊っている上に、十メートルの高さの吹き抜け天井から突如、直系六メートルの大シャンデリアが落下してきて直撃したのだという。即死した三人は、二十代の女性二人と男性一人だったが、「溝部明美さん」がひとしお一目を引いたのは、いちばん若い二十一歳の自衛隊勤務者ということのほかに、連続「明美さん」事件をフォローしてきた記者たちのこだわりがあるように私には感じられた。

三学期になるや、例の「現代思想」講座でこのことを取りあげたのは云うまでもない。

「三人の明美さん」事件を知ったすぐあとに、二人の新たな事例が加わるのを見て――しかもこれは悲劇的に――学生たちもショックを隠しきれないようであった。ほかにも私は、「綜合講座」という大勢の聴講者相手の教室でも、こんどは「五人の明美さん」という題で講義をする巡り合わせとなった。

あれから二十七年経ったいま、この「五人の明美さん」のことを思いだして、この章を書きはじめた、まさにそのときに、ダークホース的に、これまでまったくあずかり知らなかった「松本明美」なる女性が浮上してきた。前記のごとく、「五人の明美さん」よりずっと以前に彼女は貧しきゆえに心臓病で死ぬところ、サンケイ新聞のキャンペーンによって救われ、いまなお存命で岡山ろうさい病院で小児科看護師として甲斐甲斐しく働いていることが明らかとなったのだ。

ここで、ポーカーのフラッシュのように六枚のカードが全部そろったところで、天使のおもむきある彼女たちの顔を思い浮かべつつその名を並べてみよう。（年齢はそれぞれ出現時のもの）

松本明美（4歳、鹿児島）昭和41・6・15「明美ちゃん基金」設立により心臓病治癒

実業団女子駅伝

ふっくら復活 びっくり彗星

8人ゴボウ抜き その上ゆく12人

増田23歳 明美さん 松野19歳

目のハンディ乗り越え完走

神戸の20歳の女性

ひもで手首つなぎ 妹と二人三脚で

ホノルルマラソン

心肺同時移植 心待ちのまま

明美さん 愛媛 亡くなる

2トンの照明が落下

六本木のディスコ 3人死亡、14人重軽傷

操作ミスか構造上欠陥の疑い 警視庁究明へ

なぜ類似事件は連続して起こるのか？——同一名の二十歳代乙女「明美さん」の不思議な共時的事件の謎を現代科学理論から推理して講ずる(238頁)。

増田明美（23歳、日本電気）昭和62・12・13岐阜全日本女子駅伝で八人抜き
松野明美（19歳、熊本ニコニコ堂）同日、同駅伝で十二人抜き
蒲生明美（20歳、神戸盲学校高二）同日、全盲の身でホノルル・マラソン完走
仲田明美（32歳、大阪外大）昭和63・1・4心肺同時移植待ち死亡
溝部明美（21歳、東京自衛官）同日、六本木ディスコ照明器具落下圧死

こうして整理してみると、改めてある点に気づかされずにいない。それは、これら「明美さん」たちはどれも抜きん出た能力と強い生きる意思を持った素晴らしい女性たちだったということである。まさに名は体を表すの譬えどおり、明るく美しい乙女たちだった。

それと、先にも見たとおり、当時は四歳児だったが、最初の「松本明美」救済運動が「明美ちゃん基金」設立の元となり、世界の多くの難病の子供たちを救ったという事実を無視できない。また、そのために、五十年間、一貫してキャンペーンを張ってきたメディアの貢献は多大である。

人は新聞と呼び、テレビという。しかし、それらは、蜘蛛が空中に巣を張るように、人間が意識の中に張ったパラボラアンテナである。こうして喚起された国民的意識の高

まりが、さざなみのように見えない世界を揺さぶり、何らかの共振活動を強めて、そこから「明美さん」現象を誘発したとは考えられないであろうか。

社会現象、というだけのものではあるまい。それだけならば名前の連続性まで起こる必要はなかったであろうからである。


見えない世界が見えるようになるには、年月がかかる。少なくとも自分ごとき凡人にとっては。

いまならば、微風の吹きすぎる湖面に立つさざなみのごとき、このような共振現象の起こる場があると、あらかたの自信をもって云うことができる。こんな単純な結論に達するまでに八十余年もの人生がかかった。四歳児の明美ちゃんの心臓疾患が治療されたことをきっかけに、一九七八年（昭和五十三年）に産経新聞社は「先天性心疾患の原因、形態形成に関する第一回国際シンポジウム」を開いている。われわれ筑波派（ツクビスト）がやったことは、ある意味で、そこから飛躍して、ボームやルネ・トムらとともに、「形態形成場」が時空をこえても存在しうるということを証明することであった。

あの学生が『豊饒の海』について質問したことは、正しい。

三島由紀夫は、「豊饒の海」と名づけられた月面のクレーターが実はからっぽであることに惹きつけられて、あの大河小説を書いた。だが彼は、それが満たされた霊性の海でもありうるとの希望まで、後代の読者から奪おうとはしなかったであろう。

（第四巻　筑波篇おわり）

竹本忠雄

『未知よりの薔薇』全巻リスト

第一巻　由来(ゆらい)篇

第二巻　出遊(しゅつゆう)篇

第三巻　流浪(るろう)篇

第四巻　筑波(つくば)篇

第五巻　交野路(かたのみち)

第六巻　秘声(ひせい)篇

第七巻　影向(ようごう)篇

第八巻　寂光(じゃっこう)篇

竹本忠雄（TAKEMOTO Tadao 1932〜）

日仏両国語での文芸評論家。筑波大学名誉教授、コレージュ・ド・フランス元招聘教授。
東西文明間の深層の対話を基軸に、多年、アンドレ・マルローの研究者・側近として『ゴヤ論』『反回想録』などの翻訳、『マルローとの対話』などを出版、かたわら、日本文化防衛戦を提唱して欧米での反「反日」活動に従事（日英バイリンガル『再審「南京大虐殺」』等）。その途上で皇后陛下美智子さまの高雅なる御歌に開眼し、仏訳御撰歌集をパリで刊行、大いなる感動を喚起して、対立をこえた大和心の発露の使命を再確認する。
令和元年11月、仏文著書『宮本武蔵　超越のもののふ』（日本語版、勉誠出版）を機に、87歳でパリに招かれて記念講演を行い、新型コロナウィルス流行直前に帰国して、構想50余年、執筆8年で完成した『未知よりの薔薇』の米寿記念刊行に臨む。

未知（みち）よりの薔薇（ばら）　第四巻　筑波（つくば）篇

著者　竹本忠雄
発行者　吉田祐輔
発行所　㈱勉誠社
〒101-0061 東京都千代田区神田三崎町二－一八－四
電話　〇三－五二一五－九〇二一㈹

二〇二一年七月二十四日　初版発行
二〇二四年十一月八日　初版三刷発行

印刷製本　株式会社コーヤマ

ISBN978-4-585-39504-1　C0095

平成の大御代
両陛下永遠の二重唱

絶讃を博した講演録を柱に、皇后陛下美智子さまへの手紙、エッセイ、渡部昇一氏との対談の三篇を収録。独創的年表を付録として一本に収める。

竹本忠雄 著・本体一八〇〇円（＋税）

霊性と東西文明
日本とフランス
「ルーツとルーツ」対話

《ヨーロッパとアジアの対話はルーツとルーツの対話である》とのマルロー提言に基づき、日仏霊性文化の根源から、超広角的に謎の解明に迫る。

竹本忠雄 監修・本体七五〇〇円（＋税）

大和心の鏡像
日本と西洋
二つの空が溶け合うとき

アインシュタイン、小泉八雲、マルロー…。知の巨匠たちは、いかに魂の次元で日本文明に傾斜し、霊性時代の再来を予感したか。著者渾身の畢生作。

竹本忠雄 著・本体三六〇〇円（＋税）

宮本武蔵 超越のもののふ
武士道と騎士道の対話へ

武蔵の代表的名画を中心に豊富なカラー図版を散りばめ、世界的視野から「ルネサンス的巨匠」武蔵像を浮かび上がらせる。

竹本忠雄 著・本体三五〇〇円（＋税）